董事会的作用与效率

如何在复杂的环境中设计公司董事会

〔美〕科林·B.卡特 杰伊·W.洛尔施 著 蔡曙涛 译

商务印书馆
2006年·北京

Colin B. Carter & Jay W. Lorsch

BACK TO THE DRAWING BOARD

Designing Corporate Boards for a Complex World

Original work copyright © Harvard Business School Publishing Corporation.

Published by arrangement with Harvard Business School Press.

图书在版编目(CIP)数据

董事会的作用与效率——如何在复杂的环境中设计公司董事会／〔美〕卡特，〔美〕洛尔施著；蔡曙涛译．—北京：商务印书馆，2006
ISBN 7-100-04892-3

Ⅰ.董… Ⅱ.①卡…②洛…③蔡… Ⅲ.公司—董事会—研究 Ⅳ.F276.6

中国版本图书馆 CIP 数据核字(2006)第 005632 号

所有权利保留。
未经许可，不得以任何方式使用。

董事会的作用与效率
——如何在复杂的环境中设计公司董事会
〔美〕科林·B.卡特　杰伊·W.洛尔施　著
蔡曙涛　译

商　务　印　书　馆　出　版
(北京王府井大街36号　邮政编码 100710)
商　务　印　书　馆　发　行
北京瑞古冠中印刷厂印刷
ISBN 7-100-04892-3/F·608

2006年3月第1版　　开本 700×1000　1/16
2006年3月北京第1次印刷　印张 19¼
印数 10 000 册

定价：48.00元

商务印书馆—哈佛商学院出版公司经管图书翻译出版咨询委员会

（以姓氏笔画为序）

方晓光　　盖洛普（中国）咨询有限公司副董事长
王建铆　　中欧国际工商学院案例研究中心主任
卢昌崇　　东北财经大学工商管理学院院长
李维安　　南开大学国际商学院院长
陈国青　　清华大学经管学院常务副院长
陈欣章　　哈佛商学院出版公司国际部总经理
忻　榕　　哈佛《商业评论》首任主编、总策划
赵曙明　　南京大学商学院院长
涂　平　　北京大学光华管理学院副院长
徐二明　　中国人民大学商学院院长
徐子健　　对外经济贸易大学副校长
David Goehring　哈佛商学院出版社社长

致中国读者

哈佛商学院经管图书简体中文版的出版使我十分高兴。2003年冬天,中国出版界朋友的到访,给我留下十分深刻的印象。当时,我们谈了许多,我向他们全面介绍了哈佛商学院和哈佛商学院出版公司,也安排他们去了我们的课堂。从与他们的交谈中,我了解到中国出版集团旗下的商务印书馆,是一个历史悠久、使命感很强的出版机构。后来,我从我的母亲那里了解到更多的情况。她告诉我,商务印书馆很有名,她在中学、大学里念过的书,大多都是由商务印书馆出版的。联想到与中国出版界朋友们的交流,我对商务印书馆产生了由衷的敬意,并为后来我们达成合作协议、成为战略合作伙伴而深感自豪。

哈佛商学院是一所具有高度使命感的商学院,以培养杰出商界领袖为宗旨。作为哈佛商学院的四大部门之一,哈佛商学院出版公司延续着哈佛商学院的使命,致力于改善管理实践。迄今,我们已出版了大量具有突破性管理理念的图书,我们的许多作者都是世界著名的职业经理人和学者,这些图书在美国乃至全球都已产生了重大影响。我相信这些优秀的管理图书,通过商务印书馆的翻译出版,也会服务于中国的职业经理人和中国的管理实践。

20多年前,我结束了学生生涯,离开哈佛商学院的校园走向社会。哈佛商学院的出版物给了我很多知识和力量,对我的职业生涯产生过许多重要影响。我希望中国的读者也喜欢这些图书,并将从中获取的知识运用于自己的职业发展和管理实践。过去哈佛商学院的出版物曾给了我许多帮助,今天,作为哈佛商学院出版公司的首席执行官,我有一种更强烈的使命感,即出版更多更好的读物,以服务于包括中国读者在内的职业经理人。

在这么短的时间内,翻译出版这一系列图书,不是一件容易的事情。我对所有参与这项翻译出版工作的商务印书馆的工作人员,以及我们的译者,表示诚挚的谢意。没有他们的努力,这一切都是不可能的。

哈佛商学院出版公司总裁兼首席执行官

万 季 美

前言	i
第一章　董事会设计——刻不容缓	1
第二章　艰难挣扎中的董事会	19
第三章　最佳经验的矛盾	51
第四章　不同的董事会有不同的作用	73
第五章　董事会的运作结构	105
第六章　组建并保持有效率的团队	141
第七章　积累并灵活运用知识	173
第八章　紧闭的会议室大门背后	201
第九章　开始行动	223
附录：对公司首席执行官的调查	247
注释	267
作者简介	289
译后记	293

董事会的作用

前　　言

1999 年,我们第一次坐在一起分享各自在董事会的体验,那是我们合作的开始。这次最初的交流形成的想法促成了这本书的出版,它实际上是一个管理咨询顾问和一个教授作出同等贡献的结晶。在以后的几年,我们分别以公司董事和董事会咨询顾问的身份继续工作,就各自的体验进行了不计其数的交流,形成的观点将在下文中进行阐述。

2001 年,正当我们专注于将观点形成计算机中的文字,许多章节通过电子邮件在半个地球之间往来的时候,北美和世界其他各地多宗公司治理丑闻和公司高层经理的越轨行为被披露出来。公司董事会对于其中的某些问题难辞其咎的事实让我们意外。我们最初的观点是,以前的十年中,许多国家公司董事会的状况已经有所改善,但太多的董事会仍然没有能力有效地发挥其作用。当开始写这本书的时候,我们确信首要任务是让读者相信这一现实。在安然公司(Enron)、泰科国际公司(Tyco)、世界电讯公司(WorldCom)的财务丑闻相继爆发之

前言

后,我们突然面临着新的挑战。我们不得不平衡两个相互冲突的事实——当一些董事会因其在公司治理方面的过失应该被谴责的同时,另一些董事会实际上已经改善了其功能。这是本书的核心思想,但同样重要的必然结论是,董事会在拥有的资源与其职责不匹配的情况下,未来将面临着更多的挑战。现在和将来,每一个董事会为了完成期待的职责,需要全面反思其作用,重新设计结构与程序。

过去几年里,和我们有过交谈的数百位公司董事、高层经理的姓名难以一一列举。许多人是我们担任管理咨询顾问时一起工作过的董事会成员,其他人则是参加哈佛商学院为公司董事们开设的教育项目的学员。我们特别感激这些主席和董事们,他们邀请我们评价其任职的董事会表现。为完成这个任务,允许我们探究董事会会议室关闭的大门后面发生的真实情况。另一些给予我们帮助的人是接受过我们咨询服务的董事会中的客座董事(co-director),或仅仅是朋友和专业上的同行,我们一起花费很多时间讨论和提炼观点。他们的贡献有重大价值,希望他们能够看到自己的见解已经体现在这个最终成果之中。

这本书是合作的成果,不仅是我们两人之间的合作,也是众多同事和委托人之间的合作,他们在我们形成本书中的观点和分析过程中给予了帮助。感谢他们慷慨奉献时间、经验和见解。这里要特别感谢波士顿咨询公司(Boston Consulting Group)和哈佛商学院(Harvard Business School)的同事们,是他们检验我们的观点并提供了资源支持。

前言

　　特别感谢科林在波士顿咨询公司的几个同事。马克·布莱希尔(Mark Blaxill)猜测我们也许愿意共同写一本关于公司董事会的著作,介绍我们相识,他的英明之处已经被证实。卡尔·斯特恩(Carl Stern)、汤姆·刘易斯(Tom Lewis)、马克·乔伊纳(Mark Joiner)、艾伦·杰克逊(Alan Jackson)和博尔克·冯·奥廷格(Bolko von Oetinger)为我们完成这个项目提供了资金支持和无限的鼓励。其他人包括勒内·阿巴特(René Abate)、罗伯特·霍华德(Robert Howard)、拉斯·特尼(Lars Terney)、彼得·戈兹布拉夫(Peter Goldsbrough)、特德·巴斯维克(Ted Buswick)、桑迪·穆斯(Sandy Moose)、乔治·帕珀斯(George Pappas)和莫瑞·库普(Maurie Koop)评论了我们的草稿,讨论了观点。里克·赖特(Rick Wright)帮助我们分析。伊冯娜·怀特(Yvonne White)协助我们进行初稿的编辑。许多波士顿咨询公司的合伙人将研究问卷推荐给他们的首席执行官委托人,这使我们能够从高层经理这个重要的团体中获得对公司董事会的看法。我们也非常感谢这些忙碌的高层经理抽出时间完成这些问卷。

　　也感谢杰伊在哈佛商学院的一些同事,我们一起讨论了本书中的观点。其中特别要提到那些"全球公司治理创新研究中心"(Global Corporate Governance Initiative)的同事们,德怀特·克兰(Dwight Crane)、亚历山大·戴克(Alexander Dyck)、布赖恩·霍尔(Brian Hall)、保罗·希利(Paul Healy)、卡尔·凯斯特(Carl Kester)、拉凯什·库拉纳(Rakesh Khurana)和克里士纳·佩勒普(Krishna Palepu)。

iii

前言

创新研究中心顾问理事会的成员们也提出了有益的见解。我们还想特别感谢赫尔穆特·希勒（Helmut Sihler）和丹尼尔·魏思乐（Daniel Vasella），他们在我们了解欧洲董事会的途径和方法方面给予了指点。"全球公司治理创新研究中心"获得了雷诺仕咨询公司（Russell Reynolds Associates）的研究经费资助，对这个企业合伙人的慷慨解囊我们表示感谢。

我们还希望感谢哈佛商学院研究所的资金支持并表达对院长吉姆·克拉克（Kim Clark）的感谢，他对研究人员围绕公司治理进行的拓展研究和相关教学日程安排给予积极的支持和鼓励。

古谚有云："最好的学习方法是向他人授课"，如果没有表达对选修杰伊的课程——"公司董事会与公司治理"的 MBA 学生的感谢，将是我们的过错。在形成某些观点的课堂讨论中，他们不知不觉地将自己的才华奉献出来。当他们从课堂讨论中学习的时候，我们也一样从中获益。

我们还想感谢哈佛商学院的三位研究副手，他们在研究的不同阶段都给予了我们极大的帮助，他们是凯塔琳娜·皮克（Katharina Pick）、索尼娅·桑切斯（Sonya Sanchez）和安迪·泽利克（Andy Zelleke）。

我们的私人助理给予了莫大的帮助，没有他们，这本书不可能顺利出版。因为在不同时区和数千英里之间协调与促进合作并非易事。我们极为诚挚地感谢哈佛商学院的简·巴雷特（Jane Barrett）和波士顿咨询公司的艾派克·吉（Ipek Gyi），他们帮助我们整理纷乱的草稿，许多其他方面的帮助也难以计

数。

当雷吉娜·马鲁卡(Regina Maruca)拿到我们的书稿,将其合并为一个体现我们思想并具有可读性的最终产品时,展现了极高的编辑才智。她默默无闻地做了这些工作,这种精神令人钦佩。她成功地将两种声音有机组合在一起并使我们的思想更加犀利,这种建议显然是明智的。

我们还要感谢杰夫·基欧(Jeff Kehoe),他是这本书在哈佛商学院出版社的责任编辑。他的专业知识和鼓励是这本书能够顺利出版的主要因素。基欧从一开始就看到了本书出版的可行性,并在写作和出版的整个过程中提出了有创见性的建议和编辑方面的指导。

最后要感谢我们的家人。在写作过程中,我们的妻子帕特里夏和安吉(Patricia and Angie),很宽容地支持我们全力以赴地投入到这个项目,给予伴侣之间所需要的支持。我们还要感谢帕特里夏提出的建议,提议将本书命名为《公司董事会的作用与效率》,这个名字恰如其分地表达了本书的中心思想。

同时将感谢献给所有与我们合作过的熟悉或不熟悉的人士!

科林和杰伊
于美国波士顿、澳大利亚墨尔本
2003 年 5 月

董事会的作用

第一章　董事会设计
——刻不容缓

仔细考虑你所熟悉的公司董事会。你或许是某个公司董事会的成员,或是该董事会治理下的高层经理,或是该公司的股东。你是否相信董事会的表现已经发挥了其全部潜能?董事会的成员们是否非常了解公司所面临的重要问题?他们是否熟悉公司参与竞争的产业?他们是否清楚驱动公司业绩的主要因素及其面临的各种风险?董事们的职责是否界定清楚?董事会的预期作用是什么?其运作效率如何?可以想象,你对上述绝大多数问题的回答可能是"不知道"或"不清楚"。尽管董事会在过去的十年内努力改善其自身的运作是不争的事实,但你的回答仍然是否定的。

　　的确,我们知道没有任何董事会可以抗拒目前的改革浪潮。尽管大多数董事会是在公司外部日益增长的审计和监管改革压力下不得已而为之,但也有许多董事会是积极主动地进行自我改造。随着时间的推移,董事的职责变得

第一章

越来越复杂和难以操作,董事们被这些日益沉重的责任弄得不知所措。

为什么所有的改革努力并没有取得明显的进展?最根本的原因答案非常简单。概括而言,迄今为止我们所看到的改革并没有确认或解决大多数董事会出现问题的关键原因:对于各个董事会是如何设计来履行其职责没有给予足够的关注。

回顾最近20年来的改革建议和改革措施,例如在美国,从20世纪80年代末期开始,机构投资者如美国加利福尼亚州公务员退休基金(CalPers)、美国纽约州雇员退休基金以及稍后的全美教师保险和年金协会——大学退休财产基金(TIAA-CREF)①提出的改革建议包括:增加独立董事的比例、董事会主席和首席执行官(CEO)②的职务不能由同一个人兼任、限制董事在其他公司兼职的数量。与此同时,美国证券交易委员会也实质性要求所有上市公司的董事会必须设立完全由独立董事组成的薪酬委员会。

---

① 美国加利福尼亚州公务员退休基金(California Public Employees' Retirement System CalPers),美国纽约州雇员退休基金(New York State Employee Retirement Fund),全美教师保险和年金协会——大学退休财产基金(Teachers Insurance and Annuity Association, College Retirement Equities Fund)是美国证券市场上最有影响力的机构投资者,为推动公司治理改革做出了很大的贡献。——译者注

② CEO(Chief Executive Officer),首席执行官、总裁、企业最高层管理头衔,本书统称为首席执行官。——译者注

董事会设计——刻不容缓

近些时期,在 2001~2002 年美国公司丑闻①的震撼下,改革的力度增大了。最明显的迹象是萨班斯—奥克斯莱(Sarbanes-Oxley)②法案,其中的某些条款要求公司审计委员会也必须全部由独立董事组成,并明确了他们与公司审计人员相关的职责。[1] 股票交易所[纽约证券交易所(NYSE)、纳斯达克交易系统(NASDAQ)和美国股票交易所(Amex)]提出的一系列新要求也具有重要意义,这些规则强调重视独立董事在审计委员会、薪酬委员会及公司治理委员会③的作用,以及这些机构的会议不能由首席执行官控制并不能有公司经理层参加的重要性。[2]

在英国,针对投资者对公司财务报告和审计人员工作能力缺乏信任的问题,1991 年由英国财务报告委员会、伦敦证券交易所和英国会计师协会资助成立,并很有影响力

---

① 指这一期间美国一些知名大企业,如安然公司(Enron)、安达信会计师事务所(Arthur Andersen)、世界电讯公司(WorldCom)先后爆出财务报表造假丑闻,引起社会各界震惊。西方国家证券监管机构随即作出反应,出台了一系列更为严厉的上市公司监管法律和规则。——译者注

② 萨班斯—奥克斯莱法案(Sarbanes-Oxley Act),正式名称是《2002 年上市公司会计改革和投资者保护法》,2002 年 7 月 30 日生效,被认为是自美国上世纪 30 年代联邦证券法之后最有影响力的公司监管改革法案,该法案对上市公司治理结构、财务信息披露和公共审计等问题都作出了非常明确而具体的规定。——译者注

③ 在英、美等西方国家,上市公司的董事会下面通常至少要设立三个专业委员会:审计委员会(与公司首席财务官、公司内部审计人员与外部审计员协同作用,对公司财务报告过程进行有效监督);薪酬委员会(确定公司高级经理人员的薪酬方案);公司治理委员会(也译为提名委员会,推荐和评价公司董事)。——译者注

第一章

的卡德伯利(Cadbury)①委员会的相关回应值得回味。看起来,卡德伯利委员会原本关注的重点是提出解决审计、会计和财务信息问题的建议,然而,接二连三的公司丑闻促使该委员会及时作出反应,将关注重点放在一般性的董事会问题上,特别提出了董事会主席和首席执行官的角色分离以及在伦敦证券交易所上市的所有公司都必须建立审计委员会的建议。³ 我们提及卡德伯利委员会的例子,很大程度上是因为其在社会中所具有的广泛影响力,还由于它是英国近年来最有意义的改革。在英国政府要求董事会进行改革的号召下,大量的重要报告相继出台,其中,最新的是黑格斯(Higgs)有关非执行董事的作用和史密斯(Smith)关于审计委员会的报告。⁴ 类似的改革也已经出现在其他欧洲国家,如法国与荷兰。

　　在董事会内部,许多董事已经得出结论,最佳的行动路径是将矛头对准自己进行革命。他们的关注点是,如果董事会不能改革其功能的实现方式,监管规则与法院判决可能要求进行更激烈的改革。20世纪90年代初期,饱受批评的通用汽车公司(GM)董事会在这一改革运动中非常引人注目,他们公布和推广了自己制定的一系列公司治理准则。⁵ 此后,美国其他主要上市公司推出的类似准则源源不断,并一直持续到今天。

---

① 卡德伯利(Cadbury)委员会,是英国从事公司治理结构研究的民间机构,1992年12月该委员会提交了《公司治理最佳经验守则》报告,引起社会很大关注与反响。——译者注

董事会设计——刻不容缓

所有这些努力都没有白费。各种各样要求改革董事会会议、监管规则、监管政策的呼声和接踵而至的公司内部自发改革，促使一系列"公司治理最佳经验指南"出台，它们指引许多董事会在90年代循着正确的方向进行改革。但是，这些改革倡议没有一个能够产生持久、全面的效果，这是由于以下几个原因。

一个原因是绝大多数改革建议来自公司外部利益群体，他们只关注公司董事会外部可见的特征。对董事会内部的实际情况没有感觉，导致改革建议很少对公司治理产生实质性影响。

另一个原因是各个董事会的职责变得越来越具有挑战性和耗费时间。外部群体期望公司董事会承担的责任在增加。反映外部期望及达到改革要求的董事会职责也越来越沉重。结果，董事会做什么和期望董事会做什么两者之间的差距——即便在董事会已经采纳了"最佳经验指南"的情况下——继续增大。

还有，董事会的设计，无论是从内部改革还是寻求来自外部的改革，都会遇到难以解决的矛盾。例如，一个真正独立的董事会，需要格外费力才能获得对公司经营情况的足够了解。应当如何处理这类矛盾和其他设计问题，董事会既不能给自己进行定位，也不能列入更广义的公司治理改革进程。

另外，同样重要的是，针对明星公司一再爆出丑闻以及公司破产引发的讨论，经常将这些有更多批判意义的话题

第一章

所取得的重要进展转移目标。由于公众注意力聚焦于公司的欺骗行径和董事们的不称职,甚至最诚实和勤勉的董事会一直努力做好其本职工作的事实也被视而不见。反之,公司丑闻强化了广为流行的固有观念:董事会成员经常玩忽职守,甚至受制于本应是监督对象的经理层。毫不意外,当投资者、分析家和政府监管机构需要对某些人进行谴责时,焦点无疑会集中于公司的董事们,因为董事会——无论他们被称为董事会还是监事会——总是处于公司治理结构系统的核心。① 但结果是改革的力量直接指向的问题不过是冰山一角。

更进一步,"打补丁"——在已有的规则、政策和要求上面再堆砌更多的规则、政策和要求——只会使状况更糟。相反,我们需要的是分别对公司董事会进行深入、全面的改造设计与实践。董事会需要反思并获得新生。面对困难的任务和更沉重的期望,每一个董事会都不得不谨慎确定自己的目标以及制定如何有效实现这些目标的计划。

换言之,董事会需要明确在其任职公司所处的环境中他们应当发挥什么样的作用,了解其自身的局限性并经常评价所取得的进展,敢于正面董事会的结构、能力和成员资格等复杂问题,不断反思董事会与公司管理层的复杂关系,努力探索能够整合与分享其完成任务所需知识的最佳途

---

① 德国公司监事会的性质与作用和英美国家公司的董事会有相似之处,监事由公司股东与员工按照不同的程序推选,监事会负责监督公司管理层。——译者注

径。

由于每个公司所处的环境存在差异,不同的公司对上述问题的回答也将有所不同。但是我们需要明确:不同的公司会形成有自身特点的一系列解决方案,并不意味着董事们可以忽视投资者、股票交易所、监管机构和立法机关提出的改革与变革要求。更确切地说,我们想表明在已有的监管规则体系范围内,适当参照当代公司治理的最佳经验,每一个董事会都有足够的空间和机会为自己的公司设计最有效率的公司治理结构。

如何设计有效率的公司治理结构是本书的中心内容。

一、董事会内部设计

一些公司已经慎重地考虑了其董事会的设计。例如,1999年初,美国德尔福(Delphi)公司的董事会主席兼首席执行官巴滕伯格(J. T. Battenberg),借助新分拆的上市公司对公司董事会设计进行了非同寻常的挑战。[6] 德尔福公司前身是通用汽车公司的一部分,是世界最大的汽车零部件和交通运输工具电子器件制造商。它分拆后初次公开亮相便以年营业收入(29亿美元)名列《财富》杂志世界500强公司中的第57位,该公司在全球40个国家雇用了将近20万名员工。

公司分拆的条件之一是,只能有一名通用汽车公司的董事进入德尔福公司的董事会。通用汽车公司的资深董事汤姆·怀曼(Tom Wyman)自愿加入德尔福公司董事会,

第一章

并同时辞去通用汽车公司董事的职务,以确保德尔福公司完全独立于以前的母公司。

巴滕伯格欢迎怀曼的决定,并请他担任董事会的常务董事①,怀曼毫不迟疑地同意了。他们开始共同考虑新的董事会设计。从一开始,他们就在三个目标上达成一致。第一,德尔福公司董事会应当进行设计,以避免困扰通用汽车公司董事会多年的问题(如董事无所作为和消极被动等)重现。正如怀曼解释的那样:

> 我很荣幸能够成为通用汽车公司的董事,但我们却以非常被动的方式工作。公司首席执行官邀请我们参加董事会会议,但我们难以单独聚在一起分享我们对公司的进展,特别是对首席执行官和经理人员工作表现的看法。董事会负责审议公司的年度计划和长期战略规划,但我们的任何修改与完善这些规划的作用都微不足道。董事会会议被管理层冗长的陈述挤占,几乎没有时间让董事们进行讨论……我在通用公司董事会的资深地位……对我及我在德尔福公司董事会的领导工作会产生持续的影响。我们不仅有机会决定自己想成为什么角色,还可以决定不想成为什么角色。这是我一生中的唯一机会:进入董事会内部尝试最佳经验——在一张白纸上开始董事会设计。[7]

---

① 原文是 lead director,本书译为常务董事。——译者注

第二个目标是应用许多美国公司董事会已经形成的最佳经验基本规律，只要他们确信这些规律对公司是适用的。第三个目标是创建一个能够适应德尔福公司所面临环境的公司董事会。在他们的心目中，应最优先考虑的是德尔福公司必须建立和消费者之间的信任关系，而不是与通用汽车公司之间的信任关系，德尔福公司的潜在市场不仅在美国，还包括亚洲、欧洲和拉丁美洲。第二位的战略考虑是和劳工组织共同控制劳动力成本。他们还认识到，新的公司董事会必须监督管理层，公司发展主要依赖于新技术和新产品的开发。

为了完成这些目标，巴滕伯格和怀曼决定不仅要在董事会下面设立审计、薪酬和公司治理委员会，还要制定相关程序，以便董事会能够审议德尔福公司的战略方向，向巴滕伯格提供反馈意见，监督公司的进展，评价董事会自身表现。所有这些做法都与他们所理解的公司董事会最佳经验相吻合。此外，他们还强调了三项独特的要求。

首先，所选择的董事，在符合"独立性"要求的同时，还要具备渊博的全球性汽车行业知识，而不是仅局限于美国汽车行业的知识。他们需要这些董事的智慧、经验以及在接触新的潜在消费群体方面的帮助。为符合这一要求，他们分别从欧洲、日本和拉丁美洲各选择一位董事。

其次，完善经理层与董事会之间的关系，使彼此之间能够随意交换双向的观点和信息。为实现这一目的，他们同意董事和经理人员可以在无须通知巴滕伯格的情况下进行

第一章

不受拘束的会谈。他们相信，这将促使董事会和经理层能够共同进行建设性的工作，以便经理层有可能完善和实施公司战略，董事会有可能审议和评价公司战略。

第三，为了进一步确保董事会和经理层能够在公司战略方面进行更好的合作，他们为董事会和经理层每年安排一次为期三天的"战略调整"会议，但同样重要的是，他们倾向于通过安排全部的董事会会议日程保持公司的战略方向。本质上，是为了"滚动性评价"公司的战略。

当董事会的成员们慎重地、清醒地思考必须完成什么任务以及如何有效组织起来完成这些任务时，德尔福公司董事会的创立是一个董事会能够完成什么任务的正面实例。很遗憾，当考察世界主要国家公司董事会的状况时，这样慎重地考虑董事会设计的正面实例寥寥无几。

二、董事会设计的框架

公司董事会为了回应外部压力而进行变革**并不奇怪**。但是，我们的担忧是，由于只关注外部压力，公司董事会难以探索真正使其能够更有效率运作的改革。由此产生的结果是大多数董事会都是传统实践和新实践的混合体，但两种实践的某些方面存在冲突，这种混合体并不能综合提供最佳设计以完成董事会不断增加的职责。董事会的职责，如监督、监管、提供建议或进行重大决策等都是一些模糊的概念，却没有明确地将注意力致力于探索公司董事会应当发挥什么样的作用以履行其职责。

董事会设计——刻不容缓

公司董事会很少研究其自身运作的基本规律也不奇怪。对每一个董事会而言,现实是需要做的事情太多,而时间却总是不够。董事会过分关心他们每个月应尽的义务和应当完成的每一次会议日程,以致很难有时间停下来、退后一步、反思董事会的设计。然而,以我们的判断,如果董事会要满足对其日益增加的要求,这确实是必须做的事情。

让我们以这种方式思考:公司董事会与任何其他商业组织类似,虽然其成员数量很少,并且处于公司层级体系顶端,但假如我们准备改善一个工厂或销售组织的状况,应当从基础性工作开始:考虑这个单位的使命以及如何设计组织使其更有效率。

这个类比非常准确地说明公司董事会必须做什么事情,这也是本书的标题"董事会的作用与效率"的含义。董事会必须追溯基本问题,从其作用开始。董事会的法定义务是什么?董事会以谁的名义治理公司?公司的利益相关人希望从对公司的投资或与公司的其他联系中获取什么?为了履行这些职责,董事会应当从事哪些协调一致的活动?恰到好处地完成这些工作的障碍是什么?需要什么资源?

从这些方面理解公司董事会的作用,每一个董事会才可能思考多样化的设计要素:

> ➢ 董事会的结构——规模、领导风格以及为发挥董事会的作用而需要设立的委员会
> ➢ 董事会的组合——董事们的经验、技巧及其成员的

第一章

其他特性

➢ 董事会的程序——董事会如何收集信息,扩展专业知识,进行决策

结构、组合和程序是每一个董事会必须明确作出的设计选择。这些选择是董事会设计的"复杂线路",必须有序排列协调一致,使公司在面临复杂情况时,董事会能够发挥其应有的作用。这些选择也将对董事会的行为方式产生重要影响。所以,董事会必须考虑哪些行为方式是被鼓励的或阻止的,确信董事会的设计能够促成正确的行为方式。为了长久维系正确的行为方式,每一个董事会需要发展自身的特色文化,以进一步强化董事会的正确行为方式。

所以,董事会像任何其他组织那样是一个系统,在这个系统中,董事们的行为方式是由董事会的设计要素和文化决定的(图1-1)。董事会的诸设计要素与董事会的作用相互之间越有效地协调一致,董事会就越能够深思熟虑地确定他们鼓励的行为方式,这个系统就更可能输送使董事会更有效率的行为方式。

实际上,这就是本书的范围和结构。我们坚信,董事会正处于艰难的挣扎过程之中,甚至目前的董事会最佳经验也存在不足。每一个董事会需要从基础开始重新设计,不是零星的时髦变革,而是把董事会作为一个系统理解各个设计要素应当如何协调一致。

图 1-1 董事会系统图

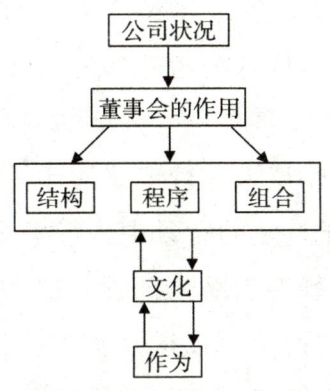

从第二章开始,我们描述了这样的状况:尽管公司董事会采纳了新的最佳经验,却依然要艰难地挣扎。在第三章,我们验证了即便是在假设的最佳经验状况下依然存在的内在冲突。其中一些是因彼此之间的不协调所致,另一些则是出现了不期望发生的结果,所有这些都严重束缚着董事会完成工作的能力。董事会如果想更有效率地工作,就必须承认他们所遇到的困境并在董事会的设计中解决这些问题。

随后的章节,我们概述了董事会重新考虑其自身设计的多种方式。第四章的核心是董事会应当如何发挥其作用。现在,人们普遍认为所有的董事会都应当发挥非常相似的作用,但是,我们相信董事会在决定发挥什么样的作用时,应当有自由考虑的空间,而且,必须作出明确的选择。每一个董事会都必须决定它能够做什么和必须做什么,不同的董事会理所当然地会得出完全不同的结论。

第五章论述了董事会的结构——规模和领导风格,需

第一章

要在董事会内部设立哪些专业委员会以及如何领导和组织委员会。这些是来自公司外部治理压力中最为敏感的问题,因为董事会的结构从公司外部可以观察到,自然成为那些有合法权利要求董事会进行改革的人的关注目标。我们的异议是:太多的建议未进行审慎的评估就被采纳了,董事会的结构应当置于特定的背景中进行考虑。与公司内部组织结构设计类似,董事会结构的设计必须与事会的使命相一致。董事会结构设计可以应用很多广泛的原则,但每一个董事会的结构必须与环境和期望发挥的作用相匹配。

第六章论述了挑选董事会成员及强化其能力的重要问题——谁适合担任董事?他们怎样才能成功?如何提高董事自身的能力或更换他们?今后,董事会必须更谨慎的考虑如何挑选和造就一个高效执行的团队。

第七章陈述了每一个董事会都会遇到的关键问题——设计一系列程序和惯例使董事们更好地学习、持续了解其任职的公司并作出有远见的决策。需要了解的事情太多但时间却少得可怜——这意味着董事会必须富有创新精神,有时还要用一些有争议方法构造知识体系。董事们必须使用信息技术,必须具有专业知识,必须拓展他们在公司内部和外部的网络。如果董事们想最有效率地共同利用其珍贵的时间,董事会会议的会期、频率、日程安排、程序以及议事惯例也必须变革。

第八章我们聚焦于能够使董事会提高效率的行为。这些行为受董事会设计的影响。如果董事会的行为功能失调,这是董事会设计存在缺陷的明显迹象。"不良"行为过于频繁地出现在太多的董事会会议之中。甚至一些非常重要的人物,在他们杰出的职业生涯结束之后,也可能行为不端。在这一章,我们也探索了董事会如何监督和处理类似的问题。

最后,第九章是全书的总结,我们更多地从个人观察的角度检验了有效率的公司董事会。我们和这些人一起谈论他们今后在完善公司董事会的过程中必须发挥什么样的作用——包括独立董事、执行董事[①]、最重要的是董事会的领军人物——首席执行官、董事会主席、常务董事和董事会的各专业委员会主席。

进一步改善董事会的效率将主要依赖于谨慎的董事会设计。某种程度上,这样的设计将引导董事会强化其新的发展方向。

三、 世界范围的观察

我们的观点是:本书中强调的公司董事会设计基本原则普遍适用于全世界的所有公司。董事会能动主义和强化董事会自主权的运动最初起源于英语语系的国家,如澳大利亚、加拿大、英国和美国,但是,在世界性的资本流动日益增长的同时,投资者对公司董事会的信任危机也在其他一

---

① 执行董事(executive director),指同时兼任公司内部管理人员的董事,也称内部董事,是公司雇员。非执行董事(non-executive director),指不担任公司管理人员,也不是公司雇员的董事,也称外部董事。独立董事(independent director),指不担任公司管理人员,并与公司没有股权关系以及其他任何利害关系的董事,也称独立的非执行董事。在英美国家,独立董事与非执行董事的含义基本相同。——译者注

第一章

些国家蔓延,要求改善公司治理的压力是全球性的。国际机构,如世界银行(the World Bank)、经济合作与发展组织(the Organization for Economic Co-operation and Development)和国际货币基金组织(the International Monetary Fund)已经呼吁出台更强有力的公司治理制度,强调信息披露和保护少数股东的利益。[8] 不过,强化对公司董事会的管理是所有上述改善公司治理结构要求的核心。

当然,不同国家的具体做法会存在一定的差异性。例如,一方面,美国公司倾向于将董事会主席与首席执行官的职务合为一体由同一个人担任,而澳大利亚、英国和其他欧洲国家则倾向于将两个职务分开由不同的人担任。另一方面,与英国公司董事会相比,美国和澳大利亚的非执行董事比例很高。美国公司董事会已经开始向非执行董事大量支付股票和期权,与此同时,大多数其他国家在这些方面的改革步伐比较缓慢。

尽管存在这些差异,人们对公司董事会应当如何运行和采取什么样的组织模式还是逐渐形成了一致共识。这些模式不仅成为世界英语语系国家公司董事会所接受的标准,也是默许的向世界其他国家推荐的模式。

在整个欧洲,已经有改善公司治理的一般性要求和改善董事会的特殊要求。在荷兰,由阿姆斯特丹证券交易所(the Amsterdam Stock Exchange)资助的彼得斯报告(Peters Report)要求进行类似的改革。[9] 同样,法国有两个维诺报告(Vienot Report)——1995年和1999年——最新的

董事会设计——刻不容缓

是2002年的布顿报告（Bouton Report）。[10]在德国，股东、商界领袖、工会负责人和政治家们共同讨论了其本国改善公司治理路径的优点，一个新的公司治理法典于2002年颁布实施，其中要求公司董事会应有更多的独立董事。[11]

在澳大利亚，证券市场监管机关以及股票交易所正在制定的规则对审计惯例和董事会独立性提出了更严格的要求。[12]在韩国，政府已经强制性规定独立董事在公司董事会中的比例，许多其他国家也逐渐趋向于接受相似的标准。[13]在日本，尽管到目前为止采用新实践的公司还为数有限，如索尼公司，但已经有许多报告要求对董事会进行改革。[14]

正如所言，我们坚信本书阐述的基本原则与全世界所有国家的所有公司都密切相关并有价值。当然，一些国家的经济和政治传统、制度和产权状况与英语语系的国家存在差异。在这种背景下，董事会的设计必须在承认国家之间差异性的同时，能够向国际投资者提供其所寻求的保护。这意味着某一种类型并非适用于所有的国家或公司，不存在普遍适用的完美的公司董事会设计模式。构建董事会既要承认这些差异性，也要符合国际投资者可接受的标准，这种需求对明晰化的公司董事会设计是另一个挑战。进行仔细的预先策划将使董事会能够同时满足两方面的要求。

由于上述原因，本书中我们是面向全世界董事们的讲演。这样的定位与我们担任公司董事和董事会顾问的个人经历相吻合。我们两人不仅有在美国和澳大利亚公司董事会任职的经验，还有在亚洲、欧洲和拉丁美洲公司董事会任

第一章

职的经验。尽管不同国家的制度安排存在许多差异,我们发现当涉及董事会的运作问题时,不同国家的规定有明显的相似之处。我们确信超越国界的普遍规律有可能存在。全世界的董事会都有同样的目标——有效率地治理公司,董事们都面临着同样的约束——有限的时间和知识。

四、我们的观察

这本书的**观点**最初来源于我们自身的体验。作为公司董事会的董事和咨询顾问,我们曾经坐在十几个董事会会议室中与至少数百位(即使没有超过上千位)来自世界许多国家、对其任职公司的董事会运作有充分了解的董事、高级经理们讨论过这些问题。本书是我们从他们那里学习的结果,也是自身直接体验的结果。

我们的结论通过简短的问卷调查数据获得支持,该调查问卷由北美、欧洲和亚洲太平洋地区一些主要公司的130位首席执行官进行回答。回答的结果与我们自己的体验高度吻合。尽管这并不是大规模样本的观点,但其重要意义在于,因为这些首席执行官代表了主要跨国公司的全体负责人,来自世界不同地区公司的首席执行官的回答具有显著的一致性——使我们确信世界各地的公司董事会都因相似的挑战而正在艰难挣扎。

现在,我们将注意力转向公司董事会艰难挣扎的现实状况。

第二章 艰难挣扎中的董事会

我不得不反复向我们的董事解释。他们真的不了解企业所从事的业务。

——首席执行官

我确实难以回想起董事会改变任何事情的实例。

——首席执行官

我们的董事会符合卡德伯利（Cadbury）、格林伯利（Greenbury）和汉佩尔（Hampel）的所有要求，但我们的董事会会议完全是在浪费时间。

——非执行董事

正如第一章中所言，即便是应用了改善董事会的新理念和最佳经验的公司董事会，现在也正在为完成其使命而艰难挣扎。公司董事会能够完成什么任务和期待他们完成什么任务之间的反差似乎正在增长，如果没有将注意力转向董事会设计，这种反差将会变得更大。为了解释我们

第二章

为什么相信这样的论断,首先需要更清楚地说明最佳经验由哪些要素构成。

一、当代最佳经验

最佳经验的构成要素经过以往十年的反复酝酿和讨论,已经逐渐形成共识。其精髓是这样的基本命题:公司董事会必须有独立自主权才能治理好公司。进一步考虑,董事会获得独立自主权的最佳途径是确保董事会由独立于公司管理层的董事控制,对董事的激励是使他们和公司股东结成紧密的联盟。更宽泛地看,全球性的公司治理最迫切关注的是切实保护股东利益和规范的财务信息披露。理论上,这意味着要实现这样一些目标:董事会有自主权、独立性,董事们的利益与股东的利益结为一体。

事实上,被众多公司,特别是在美国、英国和其他英语语系的国家公司所认可的最佳经验,全都倾向于用一种方式或另一种方式强化董事会的权力,促使董事们发自内心"独立地"考虑股东利益。这些最佳经验的要素包括:

> 每一个董事会中的独立董事必须占多数,"独立性"的定义变得更为严格。不仅仅排除公司雇员,也排除任何最近与公司有联系的人,如公司的供应商、客户或专业顾问。

> 公司董事会的领导者不能是首席执行官。在许多国家,这意味着由两个不同的人分别担任公司董事

会主席和首席执行官的职务。在另外一些国家,譬如美国,实践中常见的情况是公司董事会主席和首席执行官由同一个人担任,但要从独立董事中任命一名负责人领导独立董事。在一些公司董事会,这位独立董事负责人被称为"常务董事"(lead director)或首席董事(presiding director),在另一些公司董事会,这样的领导职责被授予某一个专业委员会主席。无论公司的具体安排形式是什么,这是流行的观点。即便是在美国,每一个董事会都必须有这样的独立董事负责人。

➢ 应当由独立董事,而不是首席执行官,控制董事的提名和向股东推荐等推选董事的程序。显然,应当根据董事会所需要的技巧和经验组合考虑董事人选,这项工作应当征求首席执行官的意见,但是,这意味着首席执行官决定谁可以出任董事的主导作用不再被认可。

➢ 每一个董事会都必须设立三个核心专业委员会——审计委员会、薪酬委员会和公司治理(或提名)委员会——专业委员会的成员必须全部是独立董事。换言之,负责监督管理层、决定公司高层管理者的薪酬水平以及董事会自我监督的人应当是独立的。数年来,许多董事会已经认可这一做法是构成最佳经验的要素,在美国,股票交易所和萨班斯—奥克斯莱法案已经强制性规定公司的审计委员会必须全部由

第二章

独立董事组成。

➢ 独立董事应当在排除首席执行官或其他内部（执行）董事参与的情况下定期单独开会。这样的会议应当由独立董事担任的董事会主席主持，如果首席执行官兼任董事会主席时，则由独立董事担任的常务董事主持。独立董事们在这样的会议中能够更无拘束地谈话，更好地理解彼此的观点和共同的感受。

➢ 董事会应当保持适宜的小规模。在符合有足够数量的董事完成董事会及其下设的专业委员会工作的前提条件下，小规模的董事群体将发现他们更容易互动并快速作出决策。

➢ 董事会被期望进行特定的活动，并将这些活动安排到董事会的每年日程规划之中，这表明了另一个清楚的信号，董事会负责监控首席执行官和公司：

* 审批公司战略，当公司管理层进一步完善战略时，评估其效果
* 评价公司首席执行官的经营绩效并决定其薪酬和任期
* 规划公司管理层的职业发展及其更换计划，特别是公司首席执行官和其他高级经理的职位安排
* 评价董事会自身的行为，以保证董事会的工作方式与最佳经验一致以及当董事会成员被再度提名时，他们是勤勉和高效率的

➤ 董事们应当接受能够激励他们关注股东利益的薪酬,即致力于股东利益最大化

我们不可能详细和精确地说明世界各国有多少公司董事会已经应用了这些最佳经验。但毫无疑问,对大多数国家中的大多数公司而言,公司所有的利益相关方都认为董事会应当具有监控公司与公司管理层的权力,大多数董事会成员应当是独立董事。同样明显的事实是,越来越多的公司董事全部或部分以股票或期权的方式获得薪酬,尤其是在美国。

此外,无论是道听途说的传闻还是猎头公司的观察都表明,越来越多的公司董事会正在应用最佳经验中的至少若干要素,当然包括那些股票交易所或监管机构强制要求或推荐的最佳经验规则。越来越多的公司发布公司治理守则声明以表明他们愿意遵守这些最佳经验守则。更重要的是,在美国,由机构投资者如美国加利福尼亚州公务员退休基金(CalPers)、机构持股人服务公司(Institutional Shareholders Services)以及最近的标准普尔(Standard & Poor's)信用评级机构评比的公司治理排名榜也包括在最佳经验内。

然而,即便是已经完全应用了当前各种最佳经验要素的董事会也发现,在履行职责的实际工作中依然存在诸多问题。首席执行官和董事们不约而同地告诉我们,有能力完全解决最佳经验理论与其实际应用之间断层的公司董事

第二章

会非常罕见。为什么？我们认为有以下几个理由：

首先，虽然大多数思想前卫的董事和首席执行官现在相信强化董事会权力、保持董事会活动的独立性以及促使董事利益与股东利益一致的重要性，但这些信念并没有转化成为预想的实践。一些信念甚至自相矛盾并严重损害着董事会的效率。

例如，董事会的确需要充分的权力以监控其任职的公司绩效甚至在必要时更换首席执行官。在美国，许多公司董事会近年来似乎已经获得了这样的权力。研究表明，在同样的公司绩效水平情况下，1990～1996年期间任命的首席执行官被董事会更换的比率大约是1980年以前的三倍。[1]〔1993年IBM公司宣布由卢·格斯特纳（Lou Gerstner）替代约翰·埃克斯（John Akers）担任首席执行官时，这是所有媒体的头条新闻。现在，公司董事会罢免一名首席执行官时，几乎没有新闻价值，这样的事件已经逐渐成为日常现象！〕

但是，增强董事会的权力在很多情况下已经导致公司首席执行官和董事会之间的关系出现问题。很明显，尽管董事会应当拥有监督首席执行官业绩的终极权力，但董事会和首席执行官之间的权力必须保持合理的平衡，以保证首席执行官拥有领导经理层的权力。不过，实践中，分享权力使公司董事会与首席执行官之间的关系变得相当复杂。彼此都必须避免冒犯对方。"权力"并不是董事和首席执行官们之间感到轻松愉快的讨论话题，涉及这类问题似乎是不明智的。（我们将在随后的章节中更详细地讨论公司董事会与首席执行官之间错综复杂的关系。)

董事和首席执行官相信彼此之间应当是冲突的紧张关系的基本信念可能对最佳经验的改善造成更大的损害。更糟糕的是,投资者、律师、监管者和其他方面的改革压力似乎并没有认识到这种紧张关系的存在。董事们自己也是如此。以我们的经验,这些没有被认识到的冲突会阻碍董事会有效地履行其职责。我们将在第三章列举并详细阐述这些问题。

其次,期望董事会完成的工作与董事们所拥有的知识和时间能够完成的工作两者之间存在明显的反差。简而言之,在大多数董事能够贡献的工作时间内,完成董事会的工作即便不是不可能的,也是非常困难的。由于时间有限和经营中的重大事件层出不穷,大多数董事发现他们很难与公司的变化保持同步。公司情况越复杂,董事们就越可能落后于公司变化的曲线。

第三,董事们的任务一年比一年艰巨。企业——无论是哪种类型的公司——的复杂性不断增加,投资者和监管者的要求不断增加。例如,仔细考虑美国萨班斯—奥克斯莱法案和英国史密斯报告有关董事会必须设立审计委员会的那些新要求。[2] 增加限制是可以理解的——甚至是有正当理由的。但大多数董事会——即便是这些已经欣然接受变革的董事会——仍然受以往的实践和传统的死板束缚,以致难以轻松地控制其扩展的职责。例如,太多的公司仍然像前几年或十年前那样每年照例召开同样次数的董事会会议,董事会会议以非常相似的方式进行,有着雷同的日程

第二章

安排和会议讨论。

第四，由于董事们必须履行这些职责，他们没有时间从不同角度思考自己应当如何工作，因而这些最佳经验并不总是能够转化成为董事会应当付诸的行动。董事们几乎毫不关心董事会的具体设计。

举一个实例，一个重要的和非常复杂的公司董事会主席兼首席执行官希望其任职公司的董事会能够具备审议和评估公司战略的能力。第一步，他感到有必要让董事们了解公司面对的主要竞争对手和消费者方面的相关问题。

他随即为董事会安排了一个为期两天的调整会议（会议本身并不轻松休闲，他给董事和经理们一份紧张忙碌的日程安排计划）。下一步是让公司的战略规划人员进行一系列的演示解说，介绍公司遍布全世界的诸多企业经营情况。会议期间，安排董事会听取经理们的 12 场演示解说。同时还决定在山顶的度假胜地（海拔 9 000 英尺）举行董事会会议，董事们从美国各地飞赴会场。毫不奇怪，董事会的成员们发现他们很难集中注意力甚至难以保持清醒状态，特别是在享用精心烹制的美食和葡萄酒之后。

然而，人们也许推断这不过是首席执行官及其经理团队的一个蓄谋已久的杰作，以暗中阻挠董事会的观点介入公司战略问题，我们认为并非如此。这不过是随处可以引用的许多实例之一，安排董事会活动计划的负责人（董事和经理们）并没有跳出固有的模式认真思考在可利用的时间内他们能够完成什么任务。这是一个简单的不良董事会设计实例,但我们相信,许多公司董事会应用最佳经验的努力失败,正是由于这些不重要的设计缺陷累积所致。

二、设计,而不是态度

已经解释了为什么最佳经验并不能够如同想象的那样产生作用,我们需要再次强调这一点:这些最佳经验体现了公司治理的实质性进步毋庸置疑。它们已经引导董事们的态度发生了某些重要的和积极的变化。大多数在最佳经验董事会任职的人知道自己并不是简单地坐在会议桌旁,按照首席执行官的旨意行事,或享受免费的午餐,或成为橡皮图章。他们认识到自己正致力于监控经理们的工作成果以创建一个繁荣昌盛的公司。这是十几年以来一个显著的变化。但是,这个明确的目的还不足以克服董事会作为一个群体的局限性。换言之,我们相信董事会面临的许多问题有着共同的根源,这并不是董事们的态度、知识水平或最近的改革目的问题。这是董事会在大小两方面事务的基本设计问题,大多数董事会的现有设计都无法达到预期的要求。

我们已经说过,问题起源于董事们只能奉献有限的时间完成最急迫的任务,既要了解公司情况,又要与其他董事一起实际参加会议,制定直接影响公司战略的决策,决定经理的更替等等。让我们更真切地考察这些问题,探索董事会的设计如何经常对董事们产生不利作用。

现在的绝大多数董事都是独立的非执行董事,他们完全是兼职的。此外,他们的董事会席位大多数都需要特定

第二章

的职业背景——其他公司的首席执行官或高级经理人员，或非常忙碌的专业人士。尽管不断增长的董事的需求正在导致董事会中象征性的董事成员数量下降，但许多人都在两个以上的公司董事会同时任职。

这些兼职的董事们难得有时间聚在一起。绝大多数董事会通常是每两个月召开一次会议，另一些董事会则是每季度开一次会。[3] 会期很少能持续一整天。正如我们刚才描述的那样，虽然每年举行一次为期二至三天的"战略调整"会议的董事会有不断增长的趋势，但这不过是我们看到的证据而已，表明董事们表面上聚在一起花费了更多的时间用于要求更高的工作。事实上，依据一个调查的结果，北美和欧洲的董事们用于完成董事任务的工作时间"平均"约每年100小时或更少（包括他们在董事会会议之外自己所花费的时间，收集和浏览信息），每年平均开七次董事会会议。[4]

我们曾经与之会谈过的一位美国董事看起来是一个很典型的代表人物：

> 我在两个大型公司的董事会任职，每年参加八次董事会会议。其中一次会议在远离公司的场所开几天。所以，每年用于董事会和其专业委员会会议的时间大约是10天或80小时，再加上准备时间和与首席执行官及其他管理层成员非正式谈话的时间。我估计这些时间大概是每年100～125小时。

书中很快就会涉及董事所花费时间的质量问题,但现在,我们仅仅考虑所花费的时间数量。每年100~125小时的工作负担可以换算为一个忙碌的公司高层管理人员或专业人士约两周的日常工作时间。想一想在两周时间内期望董事们完成哪些工作——非执行董事不仅是兼职的,而且由于他们是"独立"的,一开始了解的公司情况非常有限。据这个调查结果显示,北美的公司董事所监控的公司"平均值"是80亿美元的资产,34 700名雇员,生产设施分布于7个国家,产品销售市场分布于10个国家。公司40%以上的销售额来自国外。[5] 真的能期望这类公司或比较小的一些公司董事们在每年大约两周的时间内应用这些最佳经验的建议吗?——评议和通过企业战略及财务预算、监督公司的业绩、评价首席执行官、监控经理的更替计划、决定公司高层管理人员的薪酬、确保识别和管理公司所面临的主要风险,这些都涉及精确和规范的财务报告以及综合性的法律强制程序。还要记住,所有这些工作必须在董事会会议的专业性决策中完成,如投资计划、股利分配方案、收购兼并计划或考虑股份转让和资产剥离方案,还要求董事会在这些场合指点经理层。难怪这么多的首席执行官、董事们自己以及股东们对董事会的现状感到沮丧。

公司的高层经理人员和首席执行官不断地告诉我们,他们怀疑外部董事们了解其任职公司的实际能力。他们经常因为董事明显地不能吸收和回想起以往会议已经被告知

第二章

的情况而沮丧(当你考虑每一次董事会会议的日程安排得非常满,还有两次会议之间几个月时间的流逝,这种情况就不足为奇)。他们对这些董事能否对公司有足够的理解以审议公司的战略行动和判断公司的绩效感到疑惑。

表 2-1 非执行董事的问题——对其任职企业情况的了解

	首席执行官的回答:同意的百分比				
	北美	英国	欧洲	亚洲	澳大利亚
需要什么?					
➤ 他们必须了解驱动企业成功的因素(A-1)	98	94	97	100	100
➤ 他们必须了解每一个主要企业的重要战略问题(A-3)	76	75	80	93	93
➤ 他们必须具备充分的信息进行重要的战略行动决策(A-4)	96	94	94	71	100
发生了什么?					
➤ 他们了解每一个主要企业驱动绩效的因素(B-1)	46	38	51	40	53
➤ 他们在董事会的讨论中经常提出新的问题(B-4)	65	31	43	53	53

注释:首席执行官们对这些命题选项的打分(用字母和数字表示,如选项A-1)从1(完全不同意)到5(完全同意)共5个级别。
在这个分析中,"同意的百分比"包括4分或5分。
资料来源:波士顿咨询公司、哈佛商学院"全球132名首席执行官调查2001"

还要考虑我们的首席执行官调查问卷中对几个问题地回答——问题涉及非执行董事怎样才能很好地完成其任务。大多数首席执行官认可为了制定公司长远的主要决策,董事会成员需要清楚地了解驱动公司战略成功的因素以及公司面临的主要问题(参见表2-1"需要什么""What's Needed?")。然而只有一半的首席执行官回答他们相信公司的董事们实际上有这样的了解(参见表2-1"发生了什么""What Happens?")。

表2-2 非执行董事的问题——他们的管理知识

	首席执行官的回答:同意的百分比				
	北美	英国	欧洲	亚洲	澳大利亚
需要什么?					
▶他们必须了解有望担任公司最高层管理职位候选人的素质(A-5)	98	94	63	60	93
发生了什么?					
▶他们花费了足够的时间了解管理者以便能够判断管理者更替问题(B-6)	63	25	17	14	53

注释:首席执行官们对这些命题选项的打分(用字母和数字表示,如选项A-1)从1(完全不同意)到5(完全同意)共5个级别。
在这个分析中,"同意的百分比"包括4分或5分。
资料来源:波士顿咨询公司、哈佛商学院"全球132名首席执行官调查2001"

同样,首席执行官和公司高层经理人员们被问及董

第二章

事们是否充分熟悉公司内部候选人并有见地地制定首席执行官去留的决策,或董事们是否有时间搜寻合适的外部候选人。再一次,我们的调查中首席执行官们认可董事们需要具备了解其任职公司管理者才干的知识——毕竟,监督经理的更换是董事们的任务——但与此同时,首席执行官们相信董事们并没有在这些有前途的高层经理候选人身上花费足够的时间以获得这样的知识(表2-2)。这些企业的负责人并没有挑战这一领域内董事会的职责或质疑他们的认真程度,但对于这些董事们完成其任务的能力感到不安。

董事们在董事会会议上所作的贡献是首席执行官和董事们也关注的另一个问题。我们被告知(正如调查所确认的),董事们需要什么,不仅仅是提出有见地的问题,还应当做得更多。他们必须具备充分的知识能辩驳管理者的观点。我们几乎毫不怀疑董事们希望作出建设性的和有益的贡献,在调查中首席执行官们也再次确认了这一点。问题在于董事们经常未能把注意力集中于关键的问题,缺乏充分的准备,或者难以回想起以往的会议上发生过什么事情(表2-3)。我们自己已经看到和听到过太多类似这样的董事会会议,在我们的调查中首席执行官们显然也有同样的体会。根本的困难还是时间和知识的限制。这些问题经常与没有适当地注意计划董事会会议日程安排,以及董事会会议自身的领导缺乏效率混杂在一起。

表 2-3　非执行董事的问题——董事会的表现

	首席执行官的回答：同意的百分比				
	北美	英国	欧洲	亚洲	澳大利亚
需要什么？					
➢ 仅仅提出问题是不够的，必须做得更多；他们必须具备充分的知识能辩驳管理者的观点（A-2）	76	81	83	100	80
发生了什么？					
➢ 为董事会会议进行了很好的准备（B-2）	57	63	46	40	80
➢ 能够回忆起以往会议讨论的问题（B-3）	52	56	63	67	40
➢ 经常提出新的问题（B-4）	65	31	43	53	27
➢ 注意力集中于董事会会议的重要问题（B-7）	63	69	77	67	60
➢ 贡献对管理者是建设性的和有益的（B-8）	89	94	83	73	73

注释：首席执行官们对这些命题选项的打分（用字母和数字表示，如选项 A-1）从 1（完全不同意）到 5（完全同意）共 5 个级别。
　　　在这个分析中，"同意的百分比"包括 4 分或 5 分。
资料来源：波士顿咨询公司、哈佛商学院"全球 132 名首席执行官调查 2001"

就董事会这一方而言，我们听到的来自独立董事的最常见的抱怨是董事会的日程安排及如何利用董事会会议的时间。介乎于"程式化"的问题——每个月的统计结果、股利公告、某些专业委员会的报告、甚至是公司面临的法律问题描述——以及首席执行官关于企业状况的讲解，董事们

第二章

说几乎没有留给他们时间进行有意义的讨论,尤其是关键性的战略问题讨论。董事们并没有否认较多的"例行公事"的重要性。他们不过是相信这些例行公事占用了太多的宝贵时间。这些时间原本应当更好地用于当前紧迫的企业事务和挑战性的工作,并有可能让董事们运用自己的专业知识完成这些任务。他们一再告诉我们,董事们学习和作出贡献的最佳途径之一,不仅仅是听取情况介绍,还要进行讨论,特别是要与首席执行官以及其他管理者一起讨论。但一次又一次,糟糕的董事会会议日程安排导致这样的愿望难以实现。

董事会设计的一个重要方面是董事会的规模,许多董事还告诉我们,董事会会议室经常坐着太多的人,以致不可能真正交换意见——即便出席会议的大多数人知识渊博并准备作出贡献。正如一个经验丰富的美国董事提到的:"你怎么可能和30个人一起在董事会会议室进行有意义的讨论?"在他所举的例子中,18个董事环绕着会议桌而坐,12个经理沿着会议室的墙而坐,这种情况下他们的"输入"是必然的。这是一个特别的大型集会,但董事会会议的参会者过多是相当普遍的问题。大多数英语语系的国家公司董事会大约由12名成员组成,还有很多董事会的成员数量超过这个数额。当公司的高级经理人员和公司的外部专家,诸如律师、银行家们被邀请参加会议时,董事会会议的参会人员数量很容易膨胀至15或20人。[6] 像我们已经讨论的那样,几乎不用说,拥挤的会议室只会增加时间的约束。太多的人希望发言(无论是进行评论,还是提出问题),然而占用同僚的时间却让他们感到不安。

外部董事们还关注所接受的信息流量问题。他们最大的懊恼并不是得到的信息太少,而是得到了太多的既没有清楚的条理也没有很好归纳的信息。我们被告知,有关过去的财务业绩及将来的财务业绩预测这类数据太多了,而有关公司的竞争表现、消费者的反应、新产品的业绩、经理候选人的优点和缺点、员工的士气以及诸如此类的信息却太少了。正如我们已经看到的,某些场合,高层经理们觉得他们已经告诉过董事们的事情却被遗忘。这个问题的部分原因是信息被隐藏在大量的董事会文件中,忙碌的兼职独立董事们难以吸收和记住所有这些信息。

尽管如此多的董事会本质上是主动地应用董事会最佳经验,但从公司的所有者、利益相关人的视角看,前景似乎并不乐观。许多股东关心董事会是否已经竭尽全力保护他们的投资。机构投资者作为大股东在这一点上最直言不讳,甚至在安然公司丑闻和类似的崩溃之前,他们就抱怨公司遇到业绩问题以及股票价值下跌时,董事会的反应太慢以致没有采取必要的行动。许多股东内心的疑问仍旧是:"当事情变得糟糕的时候,董事会在哪里?"太多的股东相信答案是:"任凭烈火焚烧罗马城,尼禄依然拉琴取乐。"①

---

① 原文是:"Like Nero, fiddling while Rome burned."比喻对重大灾祸漠然处之。尼禄(公元 37~68 年):罗马皇帝,据说他处死了自己的母亲、妻子。公元 64 年,一场大火烧毁了大部分罗马城,尼禄将其归罪于基督教徒,并处死许多基督徒(传说是尼禄自己命令纵火)。尼禄以演员和音乐家而闻名,在图画中他经常以在罗马大火前拉小提琴的模样出现。——译者注

第二章

机构投资者正在增加对董事会的业绩和推动公司治理改革的审查。例如,在美国,汽车司机工会养老金基金(Teamsters' Union Pension Fund)推出了全美国公司最差的10名董事排名表。尽管这个排名表的评价标准可能是模糊的,但它清楚地表明了这样的观点:"我们对你们这帮家伙不满意,我们正在警惕地注视着你们的表现。"当美国加利福尼亚州公务员退休基金(CalPers)根据自己的想法,认定公司正在犯"公司治理罪"时也表明了类似的观点——现实中的罪状既有限制股东的声音(如反收购的毒丸政策),也有显示出的与新的最佳经验的偏差,如太多的内部董事、董事们并不拥有足够的股份或外部董事们同时为太多的公司服务等。

当代有关董事会的文献极力主张应用新的最佳经验,但就像我们刚才描述的那样,由于现实中的操作困难,大多数董事会对此保持沉默。[7] 同时,由于多数情况下,最佳经验的优越性只是在公司陷入困境时方能体现出来,很多董事"本能地"体会和感受到他们难以发挥作用。突然间他们面临着令自己惊恐的现实处境:在他们没有注意的时候,公司已经每况愈下,让公司重新步入正轨需要相当长的时间——而他们肯定不可能有这些时间。

总之,从投资者、首席执行官和董事们那里听到的他们所关注的事情使我们确信,尽管过去的十年间,许多公司董事会已经有所进步,但新的实践并没有将董事会的绩效提高到所需要的水平。董事会正在努力增强其敢作敢为的勇气,不过,由于工作模式并没有充分认识到董事们自身的主要限制——时间和知识,董事们的努力遇到了阻碍。更进一步,人们并没有对董事会的设计给予适当的时间和关注以便成功地应用这些新的实践。这句古老的格言:"魔鬼存在于微小的细节之中",①在任何地方都不会比在董事会会议室更符合事实了。

三、未来的更大挑战

董事们的态度已经有所改变,大多数人更加严肃认真地忠于职守。问题在于董事们本质上试图将1955年的雪佛莱汽车(Chevrolet)②修理后应付21世纪信息高速公路的交通。如果董事会要在21世纪有所作为,需要设计董事会以贯彻当代最佳经验并采取行动超越自己。这样,当展望未来的时候,所需要做的仅仅是比过去更加敏锐。

对于大公司的董事会而言,由于形势正在愈加变化无常。企业的复杂性正在增加——我们每天看到的大多数事情都受到经济增长、全球化和新技术的巨大影响。新的竞争者正在出现,产业价值链正在被前所未有的规模和速度所打乱。新的金融产品和技术创造了更大的风险。企业价值的源泉发生了根本性的变化,从物质资本转变为人力资本,这也使得公司治理讨论中已经被接受的董事会的管理

---

① 原文是:"The devil is in the details"。比喻细节决定成败。——译者注

② 雪佛莱汽车(Chevrolet),通用汽车全球销量最大的品牌,自1912年推出第一部产品以来,至今销售总量已超过1亿辆。其市场覆盖到70个国家,曾经创下每40秒销售一部新车的纪录。——译者注

第二章

方式复杂化了。

这些趋势已经成为许多著作和文章的主题,我们并不想自封为这方面的专家,但我们相信这使得董事会今天和未来所面临的任务与十年前所面临的任务有很大的区别。[8] 要理解上述情况正在加剧公司的复杂性以及变化的速度,然而对董事会而言,未来还会显露出另外三个方面有重要意义的挑战:

- 公司的全球化对董事会构成的影响
- 技术对董事会最重要的职能之一的冲击——审议通过公司战略
- 智力资本作为企业价值创造的驱动力日益重要

我们将依次考察每一个方面。

1. 全球化

全球性的企业并不是新现象,但它正在对董事会提出新的挑战。海外的经营不再被视为依附于国内企业的附属产品。建立真正意义上的全球性企业需要更多的投入,董事会则是其中不可或缺的一部分。董事会和首席执行官们(例如德尔福公司)认识到需要来自本国以外的世界其他地区的董事,因为他们可以带来对国外市场的有价值的理解。一个在世界范围内进行的董事调查发现,大约90%的董事相信全球化经营的公司中应当有来自母公司本国以外地区的董事。[9] 不过,这在操作层面上引发的问题也不容小觑。

如果公司增加海外董事,这很可能意味着董事会会议的日程不得不改变。例如,一年 6 次或 7 次的半天会议,从欧洲到美国的旅行代价很高,非常耗费董事们的时间。位于亚洲、南美洲和澳大利亚的公司董事会会议的组织工作甚至更为困难,因为距离遥远,实际上这些地区的董事会会议经常是每个月才召开一次。

  由于公司的位置与其他国家之间距离遥远,以及企业的海外资产增长,迫使澳大利亚公司的董事会先于其他国家公司的董事会解决这一问题。澳大利亚最大的公司,如必和必拓(BHP Billition)①综合资源集团,现在有一定数量的公司董事位于北半球。鉴于欧洲和澳大利亚之间的往返需要花费二至三天的旅行时间,每一次董事会会议需要一个董事投入将近一周的时间。公司董事会的反应是承认存在的问题并尽力避免太多的旅行。董事会会议从每年的九次或十次减少到可控制的七次,但每一次会议的时间延长到一天以上,某些时候还包括现场参观。董事会会议还在南北两个半球分别举行以保证所有的董事都有可能看到公司的经营情况,而旅行负担则不会由个别董事会全部承担。

2. 技术

  尽管网络泡沫破裂,新技术继续对公司的内部管理、企业与企业之间的交易以及企业与消费者之间的交易产生巨

---

① 必和必拓(BHP Billition)综合资源集团,总部位于澳大利亚,是全球最大的矿业资源集团,世界 500 强(财富 2003 年发布)中排名第 281 位。——译者注

第二章

大的冲击。新技术也将继续孕育深刻影响企业的新产品。所有这些结果将极大地和频繁地改变公司经营业务的方式,并且不可避免地改变董事们所需要的知识。

一直以来,董事们很少需要或者无须对技术问题有真正的理解,因为技术不过是类似车床或钻压设备那样一个选定战略的工具。这种状况直到现在才有所改变。我们并不需要理解汽车的工作原理就可以驾驶汽车,当计算机的主要功能是使过程更有效率时,同样的逻辑也可以应用于计算机。然而,现在对一个世界性的企业而言,新技术本身产生了战略选择问题。新技术改变当代的速度与十年前相比令人震惊。如果董事们对技术一无所知,当遇到公司的战略问题时他们将像无头的苍蝇那样盲目。

例如,现在出任一个电信公司、大银行或大众传媒联合体的外部董事是一项可怕的任务。技术投资的规模和复杂性是十年以前难以想象的。的确,这些行业中的许多董事会目睹了公司价值受到毁灭性的破坏,他们也因为这样的结果而遭受抨击,但是很难设想非执行董事们一年仅花费100个小时就能阻止这样的结果发生,特别是在他们不了解所涉及的技术的情况下。

马可尼(Marconi)(一个英国的公司)是一个切题的案例。该公司以前作为通用电气公司(GEC)的全资子公司曾是英国的一个偶像企业,由于管理者退出了传统的国防产业和电机工程行业,转而大量投资于高技术的电信行业,公司自身在短短的几年内发生了重大转型。不幸的是,转型的结果成为股东的灾难。[10] 很明显,监控一个新的复杂企业战略是一项可怕的任务，特别是在可利用的时间有限的情况下。挑战性的"设计"问题是如何让董事了解公司的一举一动。

独立董事监控这样复杂的企业面临着一个现实的问题。一个有经验的咨询顾问这次在美国与另一个类似公司的高层管理者共事，在美国的这段时间，以下述方式提出了这个问题：

> 我们（咨询顾问）扎实地做了大约四个月的艰苦工作与管理团队一起了解萦绕我们内心的问题。但随后不得不将资料压缩为向董事会进行一个小时的通俗演示。我对他们表示歉意，尽管他们是精明的家伙，但没有成功的机会。

对许多董事会而言，当代的大多数董事们如果不能对技术问题有更深入的领悟，进行真正的战略讨论并且向管理层提供指导是不可能的。这意味着一些董事确实必须尽快的学习，但这样做需要大量的时间投入；或者有必要反思担任这些职位的董事们的技巧和背景。

3．人力资源的重要性

想一想世界上增长最快的公司——生物技术和制药公司、大众传媒和娱乐企业、软件研发、专业服务企业以及新的电子产品制造商。所有这些企业的成功都依赖于工程师、科学家和其他专业技术人员的知识才干。

第二章

这是一个与过去大相径庭的时代。过去世界上最成功的公司倾向于拥有最有价值的物质资产——汽轮机、工厂、矿井以及电线网络等给予企业竞争优势并成为其利润的源泉。现在价值越来越多的由人的知识才干而非物质资本创造,这一转变在几个方面对公司治理有重要影响。

首先,人力资源重要性的增长使得公司治理中有关董事会是否应当只对股东负责,还是应当对公司的全体利益相关者负责的许多长期争议过时了。其次,人力资源的重要性要求董事会重新思考他们所关注的焦点以及所需要的信息问题。

世界上许多改善公司治理的倡导者已经接受了股东价值是董事会首要目标的观点。[11]尽管由于美国具有压倒优势的巨大资本市场制造了股东至上的最强音,对此观点持异议者(通常是欧洲人)也不得不改弦易辙。然而具有讽刺意味的是仅仅从股东的视角看好像是已经赢得了争议,但更明显的是,从更广阔的视角看承认雇员是创造价值的主要源泉则更好地反映了21世纪的企业实际情况。越来越多的企业中,股东的物质资产投资与雇员的技巧和能力以及无形资产如品牌和消费者的忠诚度相比,对企业成功的重要性下降。[12]

一个怀疑论者可能争辩公司以往也一直依赖其雇员获得成功。这是事实,但现在和过去相比较其重要性不可同日而语。许多在行业内饱受赞誉的当代成功公司已经明确阐明只有员工的知识和才干创造价值。这些受过高等教育的雇员的独立程度和职业流动性为以往所罕见。位于麦迪逊大街两旁的广告公司——那些公司永远依赖智力资本生存——高层管理者之间流行的警句是:"我们的资产每天晚上随着电梯下降,你不能确信他们第二天是否还会回来。"越来越多的上市公司董事会现在有同样的担忧。他们如何确保管理者发现、留住和激励所需要的人才?

过去,在一些经理担心这类事情的时候,通常董事会却不会担心。如果没有例外,董事们关注的重点是财务上的资产及其产生的投资回报。但是我们同意管理大师彼得·德鲁克①(Peter Drucker)的观点,关注的重点必须改变。[13]董事会将不得不寻找监控公司人力资源的方法。

董事会必须解决不断增加的问题:"在明显是流动性的智力资本创造价值的公司中,我们的作用是什么?"这对于诸如高盛集团(Goldman Sachs)②、微软公司③(Microsoft)和英国广告集团④(Wire and Plastic Product)这样的公司董事会而言意味着什么?如果一帮关键的投资银行家、富于创造性的董事们或软件开发商们决定与竞争对手终止合作或开始合作会发生什么情况?董事会如何考虑这类问题

---

① 彼得·德鲁克(Peter Drucker),现代管理学之父,祖籍荷兰,1909年11月出生于奥地利首都维也纳,后成为美国公民。1954年其著作《管理实践》出版,标志着现代管理学的诞生。——译者注

② 高盛集团(Goldman Sachs),著名国际投资银行及证券公司,总部位于美国,世界500强企业之一。

③ 微软公司(Microsoft),创建于1975年,世界最大的个人和商用计算机软件供应商,总部位于美国,世界500强企业之一。——译者注

④ 英国广告集团(Wire and Plastic Product),世界最大的传媒集团之一,主要从事广告、公关、信息研究咨询、品牌形象咨询以及媒介购买和策划,总部位于英国。——译者注

第二章

以及如何平衡股东和雇员的要求以便公司能够繁荣发达？董事会回答这些问题需要一个有价值的理论框架计算雇员贡献以及作为资本的回报。他们需要清醒地理解如何在资本的提供者和雇员之间分配额外的投资回报,以保持公司创造财富的能力。[14]

从概念上看,董事会不得不重新思考谁"对租金享有权利"。历史上,这并不存在争议。股东理所当然有权利获得额外收益,因为这是投资产生的回报。但现在,如果关键雇员离开公司的时候价值消失,公司创造的财富、法律上的所有权和经济上的所有权之间出现了明显的分离。这意味着董事会除了建立雇员和股东之间的"合作关系"外,很难以其他任何方式考虑企业。

人力资源资产重要性的增长正在挑战谁真正拥有企业的基本概念。在大多数社会中,法律上,股东仍然是所有者,但在越来越多的行业中,雇员也必须被视为所有者,因为他们的知识才干决定收益,而一旦他们离开公司收益就消失。这是一个巨大的思想转变,董事会必须对此加以注意。很少有董事会仍然有这样的倾向,在不考虑时间和工具作用的情况下,理解由雇员、智力资本、消费者关系创造价值的方式,并根据理解监控公司的进展。这种做法是对未来的另一个巨大的挑战。

四、改革的压力

董事会**不仅**必须应对挑战,他们也被要求对其公司进行更仔细的检查和更严密的监控。2001～2003年期间美国和其他地方的公司丑闻,以及众多的美国公司盛行的会计造假行为和首席执行官们不可思议的薪酬,导致公司治理改善,特别是董事会的改革成为媒体的重要新闻。改革的建议来自许多方面和许多国家:监管机关、股票交易所、企业领导者以及新设立的调查委员会。[15]

  董事会改善所导致的最佳经验创新获得了法律上的认可和良好的预期效果。然而,也存在我们在前边的章节中所确认的与此相关的基本问题。改善董事会的许多看法只是聚焦于那些能够从董事会会议室外部可以观察到的事情。将焦点集中于可观察到的事情也许是将公共压力集中于董事会以期其"改善"的最好方式,但这样做忽略了一个基本事实,这些可以观察到的因素对董事会效率的影响很小。真正的活动发生在董事会会议室内——董事们自己如何相互交流、董事们如何与经理们相互沟通以及董事们如何获取有关公司的知识形成决策。确实,对于所有关注公司治理的人的挑战是:大多数真正能够对董事会内部产生重大影响的改革,只能被那些围坐在董事会会议桌旁的人所观察到。

  一些研究人员试图发现某些外部可见的因素(用以对替代董事会效率进行考量)和股东价值之间的关联性,但我们相信无论是涉及公司价值的源泉还是董事会能够有效发挥作用,这都是过于简单的观点。[16]决定企业赢利的因素很多,它们之间的关系和对股东价值的影响是复杂的。公司的竞争地位、行业的景气状况、管理者与雇员的能力以及国家的经济形势都是公司业绩和股东价值的主要决定因素。

第二章

很明显,我们并不反对良好的公司治理能够对公司健康发展作出贡献的观点。然而,我们相信,董事会作出贡献的方式**主要**是通过建议和对管理层的监控,偶尔是涉及公司战略方向的主要决策和高层管理者的更替。这些活动全都无法被公司外部的人观察到,除非他是一只苍蝇停留在董事会会议室的墙上。我们自己的研究支持了这种信念,董事会外部可见的因素与股东的收益并没有明显的关系(图 2-1)。例如,我们发现,无论是外部董事的比例还是董事会会议的频率与股东回报率之间都没有关联性。真正的度量因素是奉献、精力、时间的投入、董事们的才能、所获得的信息质量、董事会讨论的组织领导和坦诚的程度、透明度以及董事们和高层经理们之间的信任关系。

注意力集中于外部因素事实上可能有不利的结果,因为董事们和与其共同工作的管理层成员(公司董事会秘书和总法律顾问)开始关注这些新的要求——他们必须回应这些要求。毕竟,需求来自投资者和其他重要的当事人。然而,将时间花费在这些事情上经常导致董事会效率的改善微乎其微。每年的公司报告和代理声明中有关公司治理实践的华丽陈辞看起来很美,让一些股东感觉很好,但它们本身并不能使董事会更有效率。在我们的调查中,被询问的首席执行官们也认识到这个问题。超过 85% 的受访者——北美、欧洲和太平洋地区的回答是相同的——看到公司治理的讨论过分集中于公司的董事会是否符合一系列"规定的标准",而不是讨论真正影响董事会效率的因素。(参见附录,问题 E-8)。

图 2-1 股东回报与治理结构没有相关性

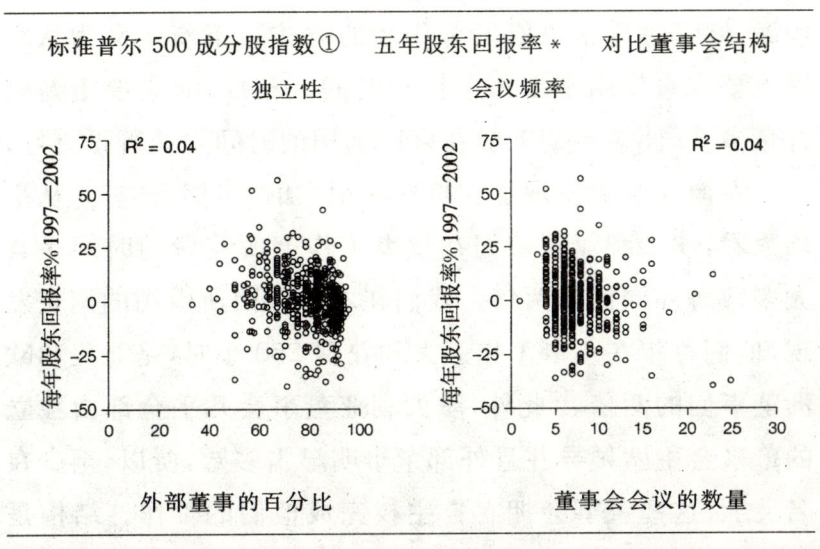

标准普尔 500 成分股指数① 　五年股东回报率* 　对比董事会结构
　　　独立性　　　　　　　会议频率

左图：$R^2 = 0.04$，纵轴 每年股东回报率% 1997—2002，横轴 外部董事的百分比（0 到 100）

右图：$R^2 = 0.04$，纵轴 每年股东回报率% 1997—2002，横轴 董事会会议的数量（0 到 30）

* 股东回报率（TSR）表示"总回报"——包括股票价格的资本增值和特定时期内分配的股利

资料来源：波士顿咨询公司的 Datastream 分析，史宾沙管理咨询公司（Spencer Stuart）2002 年董事会指数数据

　　最后一点：这些问题的答案并不是简单决定于董事会在工作上花费更多一点的时间。当然，那将是答案的一部分，我们已经看到这种情况出现了。例如，萨班斯—奥克斯莱法案的要求增加了审计委员会的工作负担以及董事们必须在审计委员会工作上所花费的时间。在这个法律由布什总统签署生效后的一年内，我们已经听说审计委员会的会

---

① 标准普尔 500 成分股指数（S & P 500），根据 500 家相对而言资本规模较大的上市公司股票价格计算得出的指数，包括工业（400 家公司）、交通运输业（20 家公司）、公用事业（40 家公司）和金融业（40 家公司）。标准普尔 500 成分股指数被广泛用于判断市场走势和制订期货投资策略。——译者注

第二章

议已经增至原来的三倍!但是,时间的数量并不是唯一的问题,除非独立董事们发挥作用的方式被重新定义为从字面上要求每年用于工作上很长时间。相反,有必要重新设计董事会,使董事们能够在可以利用的时间内执行得更好。

在澳大利亚发现了支持这一观点的"实例研究"。从平均数看,澳大利亚董事们在董事工作上所花费的时间是其大多数海外同僚的两倍。我们在本章前面所引用的调查发现,他们每年在董事工作上大约花费250小时,是北美和欧洲董事们的两倍。[17]此外,澳大利亚董事会几乎全部由独立的董事会主席领导并且外部董事明显占多数,所以,至少在名义上,这些董事会拥有自主权完成他们的工作。结构是恰当的,董事们投入的时间也是恰当的。

但是看起来这并没有产生什么重大影响。我们在澳大利亚董事会的体验是,他们也正在艰难地挣扎。董事们、首席执行官们以及投资者们告诉我们的同样如此。事实上,在调查中,澳大利亚首席执行官们的回答与其他地区首席执行官们的回答是相似的。澳大利亚的董事们为了解企业而艰苦努力,也有相似的沮丧感觉。

为了更清楚地阐述这一点,我们还可以英国的董事会说明,这里的董事们花费在董事工作上的时间也比北美和欧洲大陆的董事们多(尽管少于澳大利亚)。英国首席执行官们在调查中的回答也认为存在同样的问题。事实上,在调查中,大多数首席执行官(所有地区)对独立董事了解自己的公司没有信心,无论他们所花费的时间数量是多少(图2-2)。

总之,尽管董事会展现了新的最佳经验和进步,他们仍然要为工作而艰难奋斗,由于对董事的要求很可能增加,他们将来要继续进行更多的艰难奋斗。我们已经检验了最佳经验难以达到预期的直接原因。现在将对最佳经验进行更深入的观察——以这些最佳经验为假设的基础。我们的看法是,解决董事会问题的最可行办法是更认真严肃地设计每一个董事会。但是,假如这是以错误的理解董事会需要做什么和为什么这样做为基础,则不可能有一个合适的设计。

图 2-2 首席执行官们对独立董事了解自己的公司没有信心

命题:独立董事们为了解公司而付出了艰苦的努力(首席执行官们回答的百分比)

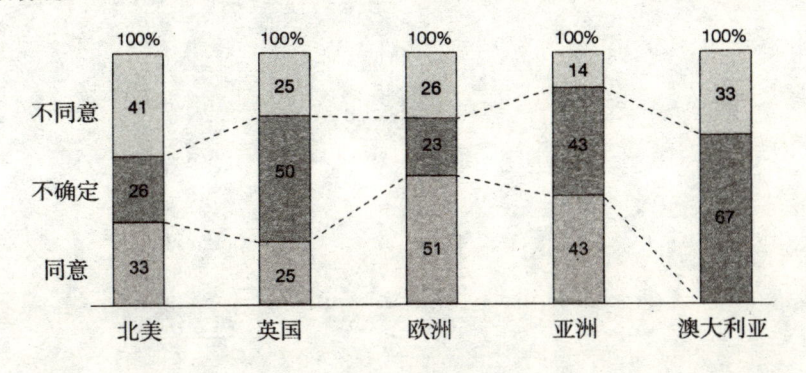

	北美	英国	欧洲	亚洲	澳大利亚
不同意	41	25	26	14	33
不确定	26	50	23	43	67
同意	33	25	51	43	

资料来源:波士顿咨询公司、哈佛商学院"全球 132 名首席执行官调查 2001"

董事会的作用

第三章　最佳经验的矛盾

独立董事们足够精明，但问题是如此的复杂以致他们在可以利用的时间内没有成功的机会。

——董事会的咨询顾问

如果一个董事会将自己定义为警察，他们会发现能从首席执行官那里获得的信息寥寥无几。

——首席执行官

最近的公司丑闻表明，通过让董事们拥有任职公司股份的方式使董事与股东的利益合为一体的想法是无稽之谈。

——金融记者

我们在第二章所描述的最佳经验的基础是五个有关董事会效率要求的基本假定。这些假定一般已经被董事们、投资者们、监管机构和其他改善董事会的倡导者们共同

第三章

认可,兹表述如下:

1. 大多数董事应当是独立的——"越独立越好"![1]
2. 董事们应当通过拥有股份和激励性的薪酬与股东在经济上一体化。
3. 董事们应当强有力地监督经理层的活动和业绩。
4. 董事们应当是"通才"——所有的董事都要从整体上考虑公司(只有在利用专业委员会时例外)。
5. 董事会的首要任务是为股东创造价值。

这些假设对董事会的构成、董事会如何履行其职责、董事会的薪酬如何支付产生了极大的影响。对董事们的态度肯定是积极的和全面的影响。假设已经导致董事们更主动和更具有权力以及更严肃的完成本职工作——更像立法机构和股东所期望的那样,成为君主。鉴于过去和现在的董事会失败和越轨行为的痛苦记忆,这些都是合理的假设。突出董事会的独立性,明显是由于不希望董事会成为经理层傀儡或董事们与其他组织有忠实义务的冲突。使董事们的经济利益与股东们一致看起来是确保董事们重视股东价值的合理方式。由于许多公司的以往失败显然是董事会玩忽职守所致,强调董事会的监督作用是合情合理的。很容易理解期望董事们成为通才,因为他们对公司的成功有各自的法律义务。强调股东价值与强调市场推动经济增长的功能相吻合。毕竟,有效的资本市场是经济成功的关键。

然而,看起来是明智和激励性的假设存在严重的缺陷。以这些假设为指导的操作实际上必然会产生无法预料的结果,而这些结果不可避免会导致董事会出现严重的问题并降低效率。存在哪些缺陷?仔细思考每一个假设的基础所存在的内在逻辑矛盾。想一想:

- 董事会的独立性会产生成本。董事们与任职的公司没有其他关系就不可能对企业有充分的了解,很多事情需要学习。更为重要的是,他们这样做将会导致对经理层的过分依赖。
- 通过拥有公司股份使董事们的经济利益与股东们一致,可能逐渐削弱董事们的独立性,甚至成为催化剂引发并非与全体股东利益一致的行为。拥有股份的董事们可能将其个人利益作为股东利益考虑,而不是从整体上考虑所有股东的利益。
- 运作良好的董事会在监督和评价经理层业绩的同时,他们也必须参与公司的关键决策并提供建议。董事们评判这些包含自己贡献的经理层决策。这种混乱的责任使得董事会和经理层之间的工作关系成为一个有难度的魔术游戏。
- "通才"董事们仅用有限的时间监控复杂的公司,很可能对其任职的公司只有表面的了解。当第二章中描述的挑战增长时,董事们也许会发现做好工作的关键是划分职责,将工作重点集中于特殊的问题。
- 股东价值当然是一个重要目标,但董事会实际上是对一群在投资对象和时间要求上千差万别的股东负责。此外,追求长期的股东价值包括要满足那些

第三章

对公司的成功作出贡献的其他人的期望——雇员（如第二章中的描述）、供应商、顾客等等。如果各方都能以相同的方式被满足本来应当是很容易的事情，但是他们之间自始至终都需要进行权衡。

许多这样的矛盾是无法解决的——本质上我们正在谈论竞争性产品的问题——每一个董事会必须在它们之间寻找平衡并进行选择，比如说，董事会的独立性和他们所了解的企业知识。所以，什么是最佳的行动路线？重要的事情是承认矛盾，讨论它对每一个董事会的意义，以一种有根据的、明晰的方式进行适当的权衡。

进一步考察上述各个矛盾将有助于澄清董事会需要考虑的问题。

一、独立性与理解能力

我们绝对没有挑剔独立董事会的想法。以往的许多董事会被管理层俘获，本质上是软弱无力的表现。在另外一些实例中，董事们陷于忠实于自己任职的公司和忠实于自己其他隶属机构之间的冲突之中。突出独立性是缓解这类问题的一种方式。我们的问题是，在推动突出董事会的独立性方面是否走得太远了？

今天，有多少真正独立的董事就等于有多少合理性已经成为有效率的公司治理的同义词。这忽视了还有其他方式能够保证董事会独立性的事实。此外，还会产生一个很少讨论过的难题。独立董事占压倒性的多数意味着董事会很可能对其任职的企业或所处的行业知之甚少。由于充分熟悉企业是我们强调的影响董事会效率的关键因素,与企业相关的知识缺乏尤其令人焦虑。

独立董事发展的势头值得重视。在美国,标准普尔500成分股指数中的董事会,平均12名董事中大约有10名是非执行董事。由于2001年和2002年的公司治理问题,确保非执行董事是真正独立董事的压力更大了。[2] 澳大利亚公司的董事会也主要由非执行董事组成,因此看起来与美国公司的董事会非常相像。在英国,典型的董事会中,超过一半的董事是公司的高层经理人员,但是有新的压力要求至少独立董事和非独立董事的数量应当相等。[3] 在欧洲大陆,不同国家的公司治理实践在历史上就存在差异,但现在也面临着接受独立董事会模式的普遍压力。例如,在德国,股东的代表——通常是与公司有财务联系的银行高层经理人员——占据监事会的一半席位,公司雇员则占据了另一半席位,这使得应用独立性的概念更为复杂。不过,最近的德国公司治理规则设计了合理的防火墙以避免"利益冲突"。[4] 日本和韩国领导公司的董事们通常是公司的高层管理人员,或者是来自同一类型公司的高层管理人员,但是,来自全球性的股份资本市场要求改变这种安排的压力越来越大(在韩国还有来自政府政策的压力)。

虽然"独立性"的定义可能有差异,但很明显,至少独立董事不能是公司雇员,也没有近期在公司的竞争对手任职的经历或其他关系,或不能是公司的客户、供应商。这一规则恰恰排除了那些掌握了公司或公司所处行业第一手资料的人。因此,大多数独立董事们了解其任职公司的情况仅

第三章

仅是董事会服务的副产品——由于董事们平均一年花费两周多一点的时间用于董事工作,即便是一个有经验的企业领导者,这也是一个漫长的了解过程。对于大多数兼职的、忙于其他活动的独立董事而言,对公司业务活动有深入了解本质上是不可能的。

此外,我们不能确定一个董事在花费足够的时间以适当地了解一个企业的过程中能够不丧失其独立性。例如,假定一个复杂公司的董事每年需要花费数月的时间履行职责,他的工作理应支付报酬。但是在现代,一个董事以这种方式列入"工资名单",可能被视为丧失了其独立性。

我们与董事们的谈话确认了这些问题。许多董事告诉我们,他们至少花费数年的时间去了解其任职的公司的主要方面。在两次董事会会议期间,他们通常忙于其他活动。他们有需要做的工作和(或)在其他董事会的工作,对他们来说,与现代的企业世界快速变化的特征保持同步是很困难。此外,由于时间压力,他们不可能花费很多的时间到企业"现场"了解情况——即通过自己的直接观察了解企业。由于没有机会观察公司和公司管理者的活动,他们必须向其他人请教这方面的情况,几乎总是公司的首席执行官或他的下属做这样的教导性工作。所以,如果经理层的看法是片面的,则董事会的看法也将是如此。

具有讽刺意味的真相是,董事会中的独立董事越多,董事会对经理层的信息依赖性就越大。当公司逐渐衰败的时候,公司董事会通常对警告的信号反应很慢。对此,董事会成员的一个常见借口是他们依赖于管理层提供的信息。很不幸,独立性可能使董事们更容易被管理层对企业的看法所左右——与试图获得的独立性截然相反。

不幸的是,独立董事会成员的倡导者们并没有认识到这个尴尬的真相。尽管我们已经提到不同国家之间存在的差异性,但要求由大多数独立董事组成董事会的压力在增长。不过,却没有讨论这样做是否会产生任何成本以及如何处理这些成本。

我们表明了一个不同的立场。我们当然同意董事的独立性能够避免利益冲突和依赖公司的首席执行官以及提供一个客观的观察视角。对于一个董事会的最基本责任而言,董事会的独立性是必要的先决条件:公正无私地监督经理层。然而,我们也相信董事们需要理解独立性的缺陷,并找出克服缺陷的方法。一个更有效率的目标也许是,董事会既有采取强有力的独立行动的能力(这意味着大多数董事应当是真正独立的),也有了解公司及其业务的能力(这也许意味着有一些董事不能通过最严格的"独立性"考查)。由于前面所阐述的因果关系阻碍董事们具备标准的真正"独立性",如果有一两名非执行董事对其任职的公司或公司所处的行业有比较深入的了解,他们在董事会内部发挥作用可能对形成良好的公司治理结构非常有利。的确,处理任何冲突也许都需要程式化的规则,但是董事会本该尽力在独立性和对公司的了解两者之间取得一个更好的平衡。

几乎是显而易见,我们也相信董事会必须创造性地思考独立董事们如何能够学习更多的有关其任职公司的知

第三章

识,他们对这些公司负有终极的责任——迅速的和持续的,几乎是完全不依赖公司首席执行官去学习和了解有关公司的情况(在第七章,我们提供了怎样做的一些想法,但是应当强调,现在对这一问题还没有简单的解决办法)。

我们还相信关注董事会的独立地位时过分强调了个体的独立性。当然,这是重要的,但还有一些其他的设计因素通常也能保证有真正独立的董事会。例如,通过保证由非管理层成员的董事领导董事会、独立董事在排除管理层参加的前提下定期会面等方式促进董事会的独立性。我们将在随后的章节中讨论这些想法。

二、联盟与独立

上世纪80年代,**财经专家**们将股东联盟的观念引入公司治理的辩论之中。这个基本观念是直截了当的。[5] 董事的工作是为股东们提供可能实现的最佳回报。如果董事们能像股东那样思考和行动,他们将做得更好。因此,董事们应当拥有任职公司的股票,越多越好。

按照这一观点,非执行董事的报酬应当全部或部分用股票和(或)期权支付,应当要求他们拥有一定数量的公司股份。他们应当需要认真对待"对公司的重大投资"。董事们持有的股票越多,报酬风险越大,他们与股东的利益就具有更多的一致性。

毫不奇怪,这一观念赢得了来自许多股东团体和一些公司董事的热情支持。[6] 在美国,这一观念已经被广泛接受,不仅是董事会,还有机构股东团体和为这些团体监督董事会实践的人。美国的公司董事会已经完全抛弃了真正的独立董事应当只得到现金津贴的传统观点。

我们对董事们要密切关注股东的长期利益这一基本原则没有疑问。我们关注的是这一论点是否已经被宣扬得过分。直到来自安然公司和其他2001～2002年的造假灾难证实了明显的经验教训之前，大多公司几乎没有对联盟的批评和些许的自我怀疑——财务数字可能会被人为的操纵以粉饰一个公司财务状况的不真实景象。管理层和董事会获得了大量的股票和期权，容易产生潜在的利益冲突。如果公司高层管理人员和董事的判断和斟酌裁量权，或更坏的情况，彻底的人为操纵对会计数组的影响甚小的话，则联盟的事实可能有更多的防御性。但很不幸，事实并非如此。一些公司建立这样联盟的尝试却导致董事们的利益与管理层一致而不是与股东一致。假如管理层追求以较高的股票价格迅速暴富，我们这些与其有财务联盟的董事也许会赞同，因为自己也处于获利的状态。

一个董事拥有的股份越多，他所担忧的个人利益就越多——实际上，他丧失某些方面独立性的危险更大。不难想象一个董事的个人财务利益有一个确定结果的情况——一个影响其收入水平的会计处理，或许是一个股利政策或并购提议的决定——与某些或大多数股东的利益不一致。这并不是说大多数董事在盘剥股东的财富——事实上我们自己的研究和大量的传闻证据表明，在大多数董事愿意为董事会服务的系列原因中，财务上的收益是次要原因——这简明地指出了独立性和联盟的内在矛盾。[7]

第三章

还有更深层次的复杂性。公司治理讨论中涉及的独立性主要是以正式关系为依据界定。但是，独立的心理并不相同，对此进行论证是非常重要的。一个董事在董事会服务的时间越长，他渐渐地对公司投入的感情越多。长期的服务有助于一个董事更好地了解其任职的公司，但感情上的依恋意味着不可能真正的独立。他与其任职的公司、经理层以及董事同伴们感同身受。他肯定与管理层结盟，与公司更广泛的利益以及公司的成功结盟，但也许会发现很难真正独立地决定什么是股东的最佳利益。

围绕联盟和独立性的这些难题没有简单的答案。例如，谁更可能有效地挑战一个首席执行官、推翻他的战略或会计操作实践——董事会中一个比较陌生的人还是一个长期信任的同事？答案是："取决于环境。"我们已经看到两种情况都出现过。但是，建立在许多公司治理争议基础之上的假设似乎是：任何一个与首席执行官有长期稳定关系的董事将不能或不愿意挑战首席执行官。我们相信这是一个充满疑问的假设，但对我们而言，它强调了想象中的简单"联盟"概念的复杂性以及它可能怎样影响所期望的"独立性"特征。

2001~2002年期间，美国显露出来的各种公司丑闻以及高层管理人员在会计和薪酬方面的越轨行为已经使人们坚信董事会的重要性。然而，同样的事件也让人们增加了对联盟基本原则的怀疑。如果董事们变得过度关心自己的财务收益，他们的注意力将过多地集中于也接受相同激励的管理层利益，或某一类为董事支付费用的更广泛股东集团的利益。只用现金支付董事们的回报将能更好地保证他们的真实独立性吗?这值得思考!

　　另一方面,我们对这些矛盾并没有容易奏效的改善方法,不过,我们知道忽视这些矛盾也不能使它们消失。如果董事们不可能同时既彻底独立又完全与股东结盟,应当如何解决这个困境?这是每一个董事会不得不解决的问题。然而,应当明确的是,由于动机问题是复杂的,我们并不能过分简单地假定给予董事们大量的股票和基于风险的薪酬就能够使工作做得更好。我们认为今后的最佳方式在于更多的改变董事会的设计和董事会的工作方式,而不是假设扔给董事们股票期权就能够激发他们更有效率地做工作。这样的设计每一个部分都必须慎重考虑什么样的薪酬安排能够激励董事们为了所有股东的利益和公司的利益独立行动。

三、 建议、决策与监督

　　在美国特拉华州衡平法院担任法官的时候,威廉·艾伦(William Allen)第一次提出了**董事会的意图**是积极监督公司和经理层的业绩。[8] 这次演说适逢许多美国公司出现了糟糕的业绩但其董事会却未能行动的时候。所以,当一个重要的判断从一个有重要意义的法庭传送出来以后,董事们听从了这样的判断,领会了监督的目标应当作为董事会的核心责任。美国和其他地方最近出现的公司失败和管理层滥用财务权力的事实,已经强化了董事会应当非常严肃地承担这个责任的信念。现代董事会对管理层和公司

第三章

业绩负有终极的责任。如果他们并不喜欢所看到状况,他们被期望能够改变这些状况。

但是,董事们除了监管者之外,还有两种作用。制定重要决策也是董事会自身的权力,诸如批准战略计划或主要的投资方案,在这个意义上,董事会是公司的最终决策者。此外,董事会也向公司首席执行官提供建议和咨询。建立一种允许所有这些作用同时出现的关系确实非常棘手。当董事会同时向公司首席执行官提供建议并期望在他的许多最重要决策上有最终决定权时,对董事会而言,聘任、评估以及有可能解聘一个首席执行官是真正困难的事情。

这个困境的根源于很久以前。老式的董事会被首席执行官的朋友占据。首席执行官精心挑选出"他们的"董事,让自己所了解、所喜欢、所信任的人占据董事会。他们能够选择合意的朋友或高尔夫球伙伴,很多人就是这样做的。然而,在此期间,首席执行官数量的不断增长也使得他们决心寻找一些能够提出合理建议的董事们。首席执行官的角色是孤独的,许多人希望董事们能够像同事那样与他们讨论企业的事情。部分首席执行官中这种期望的转变对那些希望以董事的身份作出真正贡献的人是个好机会;当更加投入于企业当前的挑战性工作时,他们的作用变得非常有价值。所以,董事们应当发挥顾问作用的观念开始流行。

近年来,由于董事会针对各方面增长的期望和他们的法律义务作出回应,董事会的顾问作用才得以继续扩展。今天的首席执行官们不仅在董事会的会议上向董事们寻求帮助,而且在两次会议期间也经常进行个人接触以获得董事们对特定问题的看法。

问题在于董事会现在也被期望对经理层"强硬起来",履行职责。当公司失败的时候,一个关键的问题是:"董事会在哪里?"董事们被期望对经理层的活动保持非常严密的审查——确实,监督的作用是董事会当代最佳经验的最显著特征。但是,一个不可忽视的事实是董事会也是管理过程中非常重要的部分——他们并不是简单地授予经理层权力并定期巡视是否一切秩序井然。他们被期待制定重要决策、评议和批准战略规划及财务预算;他们批准管理层的接替计划和高层管理人员的薪酬方案。批准风险范围和主要的资本投入。他们经常审议高级经理人员的任命和主要的组织设计变化。换言之,他们并非只是观察者,而是管理过程的积极参与者。虽然各个董事会对其管理层的授权范围可能有所区别,但与十年前的董事会相比,他们越来越积极地参与公司的关键决策。由此出现了两个令人担忧的问题。

第一个问题是当董事们提出建议和制定出管理层必须接受的决策时可能造成的困窘。这也许看起来很奇怪。难道有经验的经理人员与董事们不可能在这类事情上保持一致?我们同意他们应当保持一致,但现实是许多董事会会议在辩论最激烈和最紧要的时候,经理们有时候难以分辨董事会正在发挥什么样的作用——某些董事也经常感觉到同样的问题,特别是在回首往事的时候。

第二个问题可能更严重,它产生于董事们责任不对称的事实。董事会参与重要决策,但如果决策没有产生效果,

第三章

他们很少为此承担责任，因为除了作为决策者之外，他们也是唯一的真正裁判员。尽管人们可能争辩股东应当追究董事会对这类失误的责任，但股东确实没有办法这样做。一些人提出的理由是这种不对称与一个公司内部任意一种上下级隶属关系相类似，但我们相信这种不对称独具特色。在组织内部，老板可以开除下属，但也要对其下属的表现承担责任。由于管理团队的失败，首席执行官们已经被惩罚甚至被解雇。但当管理层失败的时候，董事会倾向于不承担责任，尽管是董事会讨论和通过了导致这些问题的行动。同样的，许多首席执行官由于战略失败而被解雇，但我们不能想象许多董事由于同样的原因而辞职。甚至是灾难性的公司价值毁灭看起来也不足以将董事赶下台。想一想安然公司(Enron)的董事们用了多少时间才提交他们的辞职信！

这种责任上的不对称可能使董事和首席执行官之间业已存在的复杂关系增添更多的矛盾。这种矛盾经常表现为管理层不太愿意向董事会充分披露想法。当然，这样的情形出现时，董事会执行能力和效率就变差了。本章开始提到的英国首席执行官向我们指出，当董事会变成警察的时候，管理层不太愿意坦率地讨论问题，这是人性本能的反应。

一种身份嵌入建议者、参与者和裁判员三种角色存在很多方面的对立，并在许多董事会会议上产生了不少问题。我们同意对现代董事会的大量建议是致力于强化其积极监督的角色的显著特征，但很容易与董事会的其他角色发生冲突。由此产生的结果是董事们发现三种角色中，没有一种是能轻松胜任的。董事会不得不为了建立他们和经理层的工作关系而努力奋斗,以使他们有可能在同一时间有效率地发挥其全部三种角色功能。这需要考虑三种角色如何能够最好的共存,这种微妙之处在董事会有关最佳经验的讨论中很少被考虑。我们将在第四章更详细地验证董事在多种角色中必须选择哪一种。

四、通才与专家

想象10个有能力的人聚集一起完成一个重大并非常艰巨的任务。我们假定每人每年只有10天用于完成这项工作——共有100个"工作日"。考虑到时间是稀缺的资源,他们首要的任务就是进行工作分工,因为他们知道如果每个人都做同样的工作是愚蠢的。成功的最佳途径是对任务进行划分,彼此信任,确保团队的每一个成员完成他(她)的重任。

董事会也要完成重大并非常艰巨的任务,完全没有足够的时间让每一个成员"做所有的事情",然而,他们并不倾向于进行任务分工。唯一的例外是专业委员会的工作。除此之外,每一个董事处理所有的工作。他们共同负责公司的各方面事务、公司的未来以及公司的绩效。在一个重视和需要专家的社会中,董事们是典型的通才。

这一矛盾的根源在于,所有的董事在法律上对"公司的事务"共同负责,至少在英语语系的国家是这样。这使得董事们不太情愿分担工作,尽管任何对董事会重大任务的明智判断都建议他们应当这样做。不过,法律问题并不是唯一的障碍。有些董事仅仅是不喜欢一个同事在某个领域比

第三章

自己知道得更多的感觉。他们的理由是董事会不应当在具体的问题上顺从个别董事。一些人也相信让所有的董事参与所有的决策,董事会将汲取他们多样化的知识与智慧的益处,这通常是一个正当的理由。其他人则不希望由于"负责"董事会工作的特殊领域而增加其个人的责任。他们宁愿分担责任。当所有的董事承担相同的任务,他们推断,将更难以追究其个人的责任。最后,由于害怕董事会偏离得太远而进入管理层的领地,一些首席执行官并不喜欢董事更多地介入具体的主题。另一方面,由于我们已经看到一些过分热心的董事干预经理们特权的实例,这样的忧虑并非没有根据。由于这些所有的原因,无论是非曲直,大多数董事希望继续成为通才。

正如我们所讨论的,大多数公司的董事们由于工作所需要的时间数量和可以利用的时间出现矛盾而遇到了严肃的挑战。伴随着公司复杂性的增长以及董事会面临的上述严重挑战,董事们是否应当仍旧是通才或将精力集中于特殊领域可能成为一个前沿性问题。继续让所有的董事将精力用于几乎所有的事务意味着他们的精力被平摊成很细小的份额,这很可能导致肤浅的讨论和不明智的决策。董事会从事知识性的工作,成功的知识工作者要不断增加其专长或工作重点。观察诸如法律、会计、学术研究或新闻行业的专业人员,所有这些人现在都比几十年前更加专业化。鉴于公司复杂性在大幅增长,这是相信董事们有相同需要的重要原因。根据这一点,我们相信推动非执行董事在专业化方面做更多的努力既是合理的,也是不可避免的。

董事们的法律责任未必可能改变或减少。事实上,他们的法律责任正在增加。但是,假设每一个董事务必监督每一件事情并不是一个有效率的措施。胜任复杂事务的能力建立在专注的基础之上,董事会需要深入思考董事的任务分配并使其得到更多的关注。如何划分董事的工作负担并形成专业化的新思路是:需要确保时间受到约束的董事能够通过与董事会其他成员的合作,有效地管理复杂性日益增长的任务。这样的专业化绝对需要董事们与其同事分享他们的分析与结论,以保证所有董事都能够轻松地从事他人委托的工作。这样做所面临某些方面的挑战是不能侵犯管理层的职权,还能够让所有的董事会成员对主要问题保持清醒的认识——第七章我们还要继续讨论这个问题。

五、股东、利益相关者和公司

正如我们刚才讨论的那样,**在英语语系的国家**,发端于美国,有关董事会的唯一作用是增加股东价值的观点引起的争议不断增加。财务方面的经济专家、股东权利活跃分子、新闻记者以及许多其他评论员以往都强调这个目标,而且事实上董事会也以此为依据而对股东负责。[9] 强调这一目标的观点逐渐扩展到欧洲大陆以及亚洲和拉丁美洲部分地区。推动这一趋势的陈词滥调曾经有极大的影响力,致使许多人(包括企业界内部和外部)相信这是无可争议和不容否认的事实。

这不是事实。董事会需要认识到他们对于定义自身的活动目标以及实现这些目标的时空范围有选择权。即便在

第三章

美国,除了股东之外,董事会也承认对其他利益相关者(如顾客、供应商、雇员和社区)负有责任,他们也许还要对公司自身的兴旺发展承担责任。这种更广泛的责任并非必然与他们对股东的责任不一致。从长期的角度透视,关注其他群体的利益和公司的整体兴旺发展很可能支撑股东的长期价值创造。

有关董事应当对谁承担什么责任的争论已经持续了十余年。例如,1989 年的研究表明,美国的董事们感到他们的责任领域是混乱的。[10] 访谈对象中的一些人相信他们只对股东负责。另一些人相信他们对其他利益相关者也有更广泛的责任。第三种人则认为对自己公司的福利负责,从长期的趋势看就是满足股东和其他人的需要。

尽管董事会只应对股东负责的观点在美国仍然最有影响力,但 31 个州的法律已经明确允许董事们除了考虑股东利益外,也要考虑利益相关者的利益。[11] 在特拉华州,美国绝大多数大型公司都在这里注册成立,法律明确规定董事们要对股东和公司的福利负责。在许多欧洲国家,董事会被要求关注全体股东的福利。在德国,法律要求监事会要保证公司的长期兴旺发展。

即便相信他们唯一的责任是维护股东利益的这些董事也面临着理解其实践含义的复杂任务。正如我们上面所言,在同一时间框架内不大可能所有的股东都想要相同的经济结果。总之,谁是股东?大型上市公司的股东组成呈动态变化,董事会成员经常不清楚其确切情况。股东群体由众多领域的个人以及许多不同的机构投资者组成,他们各自的目标存在分歧。[12]

无论如何承诺股东利益优先,最终,一个董事会也许必须在了解某些股东不欢迎什么结果的基础上学会判断股东们需要什么。

如果我们展望未来,针对董事会只应对股东负责的观点所产生的怀疑不断增加。正如在第二章所指出的,尽管股东是企业法律上的所有者,但真正的经济与心理意义上的企业所有权由增加公司价值的知识型人才所控制。此外,成功企业的高层经理们(以及董事会)知道,如果顾客、雇员和其他利益相关者的利益也被适当地满足,股东将获得最好的长期回报。

董事会在决定他们应当真正对谁负责和时间最终投入到何处的问题上遇到了真正的挑战。当考虑董事会的责任时,董事们自己必须思考和讨论他们心目中合适的选民和时空维度。许多董事会已经回避讨论这些复杂的问题。这些问题看起来过于抽象,董事会成员针对这些问题达成一致意见可能要花费更多的最珍贵的投入——时间——多于董事会想奉献的时间。然而我们相信对董事会而言,为他们的公司明确这些选择以及达成共同目标是必要的。当董事会对目标提出了不言而喻的假设但并没有进行明确讨论时,表明董事会正在掩盖他们的成员在试图达到什么目标方面的分歧。

六、解决矛盾

在这一章,我们已经描述了一些被董事会最佳经验共

第三章

同接受的要求中所固有的难题。董事的独立性是广泛要求,但是这会产生没有被意识到的成本。董事与股东结成财务联盟作为一件明显有益的事情曾经是进步,但它有可能损害董事会的独立性。董事会的监督作用,是现代董事会充满活力的希望,却可能削弱董事会履行其他职责的能力。董事们仍然被期望是通才,但这很可能导致对企业的肤浅了解。董事会被告知要使股东的价值最大化,但既不清楚相关的股东是谁,也不清楚更广义的利益相关者的观点将能够更恰当地理解什么是驱动许多企业成功的因素。

换言之,保证董事会的工作效率远比简单地将现代董事会最佳经验一览表摆放在适当位置更为复杂。我们仍然需要很多的思考。正在形成的诸多"规则"必然会限制那些从公司外部能够监督和衡量的事情——例如外部董事的数量、在法律上是否独立(我们不可能监督他们心理上的独立!)、董事会的领导方式、专业委员会的结构以及董事会的构成、非执行董事的报酬与风险结合的程度。但是在董事会内部发生了什么才是更具有挑战性的问题,这是我们现在必须予以关注的地方。

有些事情将不得不让步。社会必须减少对董事会的期望,董事会也必须重新设计治理路径。由于对更有效率的董事会的需求如此关键和重要,这样的重新设计看起来是唯一可行的选择。然而,重新设计过程必须首先从这里开始:每一个董事会成员对于准备如何解决这一章中所描述的每一个矛盾有着清醒的理解。不能解决所有的矛盾或其中的某一个矛盾,都将导致董事会对于目的、目标以及如何最好地实现这些目标和目标处于困惑的状态。对矛盾进行分类并不容易,但是,如果董事们不能着手进行这项任务,他们将继续浪费时间和精力。他们将对如何处理这些基本问题缺乏共识,诸如目标、作用、回报以及必须由董事会成员讨论的问题特性。

从哪里开始？第一个主题是董事会必须认可他们应当发挥什么样的作用。这也是合理的董事会设计必须奠定的基础。这就是第四章的主题。

第四章　不同的董事会有不同的作用

我想给这个公司增加一些价值。并不是想管理公司，但我想参与。相信我能够作出自己的贡献。作为一个董事，我并不想让人们将我与柠檬①联系起来。
——独立董事

现实是你几乎无所作为。一个董事所能够做的全部事情就是每六个月左右询问是否有更换首席执行官的理由。如果回答是"否"，就马上打道回府阅读华尔街日报。
——独立董事

过去数年间，我们同上百位董事交谈过后，已经逐渐认识到一个被广泛支持的假设是：所有的董事会都做同样的事情，每一个董事是做完全相同的工作，而非专门对某

---

① 英文柠檬（lemon）有"无用的人"、"废物"等含义。——译者注

第四章

领域负责。的确,在不同的行业和地域,董事会的责任被以同样的方式定义。从斯德哥尔摩(Stockholm)到旧金山(San Francisco),从银行业到饮料行业,董事会责任陈述中列举出的董事职责如下:

- 审议通过公司的战略、计划和财务预算,监督对公司绩效不利的行为
- 审议通过主要的资本支出和主要企业的出让或收购计划
- 审议通过资本结构、股利政策以及准确和透明的财务报表
- 确保识别和管理公司的主要风险
- 任命和评估公司首席执行官,保证他们有计划地更替
- 审议通过高层经理人员的薪酬方案
- 保证公司服从法律和社会的要求,建立公司的伦理标准

在所有类型的公司中,无论董事会的性质和规模如何,董事们普遍赞同这样的一系列职责。无论这个董事会是单一制结构还是双重制结构①,无论董事会主席与首席执行官的角色是合二为一还是相互分离,每一个董事会陈述的职责与其他董事会非常相似。这些责任与第二章中描述的董事会最佳经验一致,并且出现在许多公司和国家的"董事

---

① 单一制结构,指英美法系国家(英国、美国、澳大利亚等国)的公司中,股东会下面只设立董事会,不设立监事会,但在董事会内部设立具有监督职能的专业委员会,如审计委员会等。双重制结构,指大陆法系国家(德国、法国、荷兰等国)的公司中,股东会下面同时设立董事会、监事会。——译者注

会基本准则"宣言以及世界银行（World Bank）和经济合作与发展组织（OECD）最近的公司治理指南之中。[1]

然而，像石板瓦那样千篇一律的问题，掩盖了大量的差异性和个体程度的分歧。不同的董事会由于公司的复杂性、公司的绩效、公司首席执行官的任期与经验以及董事会自身的能力的差异而面临不同的处境。不顾及董事会的差异性，假设每一个董事会从事同样的活动并使用相同的"药方"毫无意义。其实，尽管假设所有的董事会都做同样的事情，我们通过观察确信各个董事会事实上发挥着完全不同的作用。（当我们使用"作用"这个词汇时，单纯指一个董事会所从事的活动。我们随后将进行更充分地解释，一个董事会在其行使职责的活动中涉及监督、决策和顾问作用的融合。）然而这一点正是上述问题的另一个复杂之处。我们已经逐渐认识到不同的董事会完成其任务的方式差异主要是传统或习惯影响的结果，几乎没有董事会考虑和选择最适合他们环境的作用。难得看到董事会直言不讳地讨论他们的作用。当环境发生变化时，董事会也没有想过改变自己的作用。

这就是导致本章开篇那两段耐人寻味的引言之间有巨大差别的原因。一段是澳大利亚公司董事的心声，另一段是美国公司董事的感言。由于每一个董事会在法律和社会的环境中都有充分的自由决定他们的作用，这两段引言在有董事会工作体验的任何国家都被认为是可以接受的。[2] 我们并不愿意想象任何董事会像第二段引言所描述的那样无所事事。另一方面，也无法保证更有进取心的董事所从事的董事会活动能够最好地服务于自己的组织。

第四章

简单地说，尽管全世界所有的董事对他们的职责应当是什么具有类似的看法，他们的实际作用和影响也许有显著的区别。此外，这些职责并不能保证董事会为公司的服务完全适合他们的作用。由于董事会几乎从未讨论过他们的作用应当是什么，职责与作用之间的怪圈在不断重复。

因此，无须惊讶，董事会没有工具帮助他们思考其作用。然而我们坚信每一个董事会必须确定其应当提供的价值。董事会必须明确选择他们应当发挥的作用，他们的选择必须以充分理解公司的特殊环境和董事会自身能力与知识为根据。明确董事会的作用是设计有效率董事会的第一步。这与建造房屋之前的打基础阶段同样重要。在这一章，我们希望提供一个能够帮助董事会确定作用的分析框架。

一、切合实际的期望

从哪里开始？ 即使一个董事会以履行我们列举出的董事会职责一览表作为起点，他们也会很快遇到麻烦。让我们仔细思考。在实践中，董事会实际上能够实现哪些目标？一个外部董事如何能够每年仅花费数周时间真正审议和评价一个有十几家跨国企业的公司战略？一个董事必须怎样充分了解执行团队以便判断经理层的更替计划是否合适？"监督公司绩效"的含义是什么？董事会如何能够深入了解某些特定的商业事务？一个外部董事如何确定公司面临的主要风险是否已经被有效地控制？对于像英国石油阿莫斯公司（BP Amoco）、西门子公司（Siemens）或通用电气公司

（GEC）这样的世界巨型跨国公司董事，他们目前掌控的企业年收入大于许多国家的经济总和，这个董事职责一览表对于他们意味着什么？对于那些规模不太大的公司董事又意味着什么？

第二章我们描述了董事会正在如何艰难挣扎。这样的挣扎并不是董事会的懒惰或不胜任的结果（尽管我们承认某些董事会可能因上述两种情况而被指责）。根据经验，董事会面临的核心问题是他们的任务非常庞杂，董事们通常每年只有两或三周的时间用于董事会的工作。虽然普遍的看法是建议董事们应当确定他们对公司的职责，然后决定他们需要多少时间完成这些职责，但这是无法实现的。公司以及公司董事会活动所在地的国家的传统通常决定了董事会会议的频率和时间以及董事们期望用于董事会会议以外的时间。于是所有这些需要履行的职责（很大程度上也由以往的活动所决定）被挤压到可以利用的时间之内。由此形成的结果分为两个部分：1）正如我们已经提到的，全球性的跨国公司董事会也许认为他们正在做相同的事情，但是几乎没有董事会确信他们正在以正确的方式为他们的公司做正确的事情；2）巨型全球性跨国公司董事会的活动很可能与地区性生产小商品的上市公司董事会活动花费同样多的时间。这种实际存在的情况从未被讨论过，由此产生的问题也同样没有人去讨论。

对绝大多数董事会成员而言，在"董事会工作"上花费大量时间是一个不切合实际的选择；现实的选择只能是为董事会所需要的重点任务尽职并且董事会的职责（其作用）

第四章

被明确界定。但是,最重要的是,从一开始,就要致力于界定与可利用的资源匹配的董事会职责。这意味着每一个董事会必须询问自己一些重要的问题。我们正在试图实现哪些目标?什么是对已有的知识以及可利用时间的现实假设?我们的董事会为公司和股东服务的"价值取向"是什么?这些问题将引导大多数董事会进入以往所不熟悉的陌生领域。

二、很大程度的自由

实际上,董事会所能够和应当从事的活动**只受**两方面外部因素约束。第一个外部因素是董事会活动所在地的法律框架。然而,在大多数国家,这个法律框架是如此的宽泛以至于难以提供实践的指南。例如,在美国(使用的是特拉华州 Delaware 建立的标准),董事们被告知"每一个公司的商务和事务应当由董事会的董事们管理或接受董事们的指导",[3] 法规接着指出董事会可以将对公司的管理权授予经理层人员。除了这样的董事会说明外,法律对于董事会应当发挥哪些特定的作用几乎没有规定。这与大多数国家法律的实际情况相类似。甚至在德国这样的国家,即便法律对董事会的职责有很多具体规定,法律体系仍然允许董事们对其应当(及希望)履行的职责作出有重要意义的选择。

第二个可以限制或引导董事会选择其作用的外部因素是公司股东的期望。但是实际上,这种影响也是微不足道的。对于典型的上市公司董事会而言,股东的观点并不能决定董事会应当发挥哪种确切的作用(如果一个或更多的股东在公司中拥有决定意义的股份,公司董事会将重视股东们的观点,与英语语系的国家相比,这种情况在一些欧洲国家和发展中国家更常见)。这并不是建议董事们在一个股权分散的公司中可以或应当忽视股东对于公司治理问题的信号;这只不过是说公众股东不(以及具有争议性的不能)向董事会提供任何类似的特殊指南。正如我们提到的,他们是具有不同时间视野和目标的分散群体;他们的改革压力针对那些与董事会作用无关的特殊问题。一般情况下,只有在清晰和持续的证据表明公司陷入严重的困境时,投资者才会给董事们写信或要求他们召开董事会会议采取特殊行动。即便在这种时候,大多数投资者也宁可不与董事会接触。反之,他们更愿意遵循"华尔街规则":当他们感到不满意时,卖掉股票进行下一轮投资。

因而,董事会有很大程度的自由空间确定他们所希望发挥的作用。用一些时间考虑这样的选择能帮助董事会梳理出条理分明的观点。

三、什么是董事会的选择?

考虑有关董事会作用选择的**起点**是理解董事会需要和希望如何介入公司管理事务。这意味着暂时将细节搁置一边考虑更概括性的远景。董事会希望与公司以及管理层保持什么类型的关系?

十年前完成的一个研究中,英国公司中与董事会有密切工作联系的秘书们认为,他们所看到的董事会可以划分

第四章

为"领航员"和"监管者"两种类型。[4] 假如以此作为讨论的起点,将是耐人寻味的,因为这样的标签表明了董事会完全不同的意图以及介入公司管理事务的程度。

监管者类型的董事会将自己的作用定位于监管重大事件;如果他们感觉到某些事情不正常时会采取适当的行动。他们相信董事会必须对公司及其管理层发生的情况保持警觉,但是如果公司衰退,他们唯一的现实选择是撤换公司首席执行官。如果他们是有效率的监管者,在公司的局面失去控制之前应该能够发现蛛丝马迹。我们看到在大多数司法管辖领域内,监管活动是一个董事会必须履行的最低限度法律义务。

从出现迹象到局面失控之间会间隔很长时间,这种类型的董事会为公司增加了真正的价值。然而在监管者的形象处于巅峰状态时,许多认真的监管者认识到董事会所能够完成的任务受到现实的约束。例如,美国特拉华州衡平法院前大法官(former Chancellor of the Court of Chancery in Delaware),威廉·艾伦写道:董事会"大多仅在罕见情况下为公司增加重要的价值。在这些场合将不可避免地涉及公司首席执行官的某类问题。"[5] 尽管董事会并不喜欢其最低限度作用的观点,但如果他们的公司陷入困境,大多数董事会立刻就会指出他们所受到的约束。在美国参议院听证会的证词中,罗伯特·耶迪克(Robert Jaedicke),已经崩溃的安然公司(Enron)审计委员会主席,为大型的、复杂的公司中董事会的作用受到严重制约而辩护:

> 我明白作为一个董事的告诫者作用所受到的约束。我们作为董事服务于当时美国排行第七位的大型公司……非常庞杂的工作要求董事们限制他们对一般性决策的控制……[6]

罗伯特·耶迪克实质上是为董事会只能发挥监管者的作用辩护。相反,领航员类型的董事会有更宏伟的抱负。这类董事会的成员相信他们应当参与有关公司发展方向的讨论和决策。正像先前援引的第一位董事的感言,他们相信自己能够主动地为公司增加价值。

在一些比较极端的领航员类型董事会实例中,非执行董事希望完全介入许多关键决策制定与监督绩效的管理活动。这在缺乏管理经验的一些较小企业或新设立企业中最为典型。这些董事们也许会在董事会会议以外花费很多时间打电话,参加管理层会议等途径协助完成实质性的管理任务。这种程度的介入在风险资本和私人股本公司董事会中也很常见,这里的董事们采用自己动手的方式监控其投资。他们把自己视为决策团队的组成部分,尽管只是在兼职的基础上介入决策。

还有一些实例是比较大型的公司董事介入的管理事务太多超过通常所能接受的程度。第一章中所描述的德尔福公司(Delphi)是一个典型。另一个典型是澳大利亚的全球性租赁房地产投资企业联胜公司(Lend Lease)。这个公司鼓励非执行董事一年大约用50天参与公司运营的某些方面,超过正常董事会职责时间的贡献将额外支付报酬。联

第四章

胜公司独创的成果持续了20多年,其别出心裁的公司治理路径对主流实践提出了有意义的挑战。然而,联胜公司最近的业绩毫无起色,董事会已经回归到更为传统的介入公司管理事务的形式。

大多数董事们仍然坚持极端的监管者与极端的领航员两个立场。他们认为德尔福公司和联胜公司董事介入公司管理事务的程度并不适当,违反了董事会治理与管理层分离的无形界线。他们也拒绝接受董事为公司增加价值的方式局限于等待和监视偶然发生的危机的观点。然而,他们已经逐渐摒弃了两个极端,转而希望在两个极端中的某一点找到合适立场。

造成难题的原因之一是:尽管监管者和领航员的标签是两种极端的立场,董事会发现这两种立场并非必然相互排斥。一个董事会不可能担任领航员的时候却不是监管者。此外,术语并不能帮助我们识别坚持任何一种立场的董事会将从事哪些特定的活动。例如,即便是最信守承诺的监管者类型董事会,将发现他们很难仅仅是观察和作出反应。他们必须主动介入一定的决策(比如,挑选首席执行官、决定其薪酬、审议通过新的财务计划或重要收购方案)。他们必须充分理解决定公司业绩的根本原因,理解首席执行官应当对他们负责的范围。另一方面,董事会希望发挥领航员的作用仍然不得不解决其自身的活动与管理层活动之间的分界线问题。他们还不得不决定如果董事会曾经积极介入公司的主要决策,应当如何使管理层对公司的业绩负责。

不同的董事会有不同的作用

个别董事会正试图确定其恰当的作用,所以,必须摆脱这些董事会的标签。董事会活动的范围应当由希望完成的任务界定。他们应当将重点集中于董事们坚信自己应当从事的一系列活动。

让我们这样来考虑,所有的董事会总是参与三项独特的活动:

> 监督公司和管理层的业绩。这显然是每一个董事会的最低限度职责,是不可能逃避的职责。董事们以下列方式履行其职责:检查公司的财务成果以及在每一次会议上倾听首席执行官汇报企业情况;每年对首席执行官的业绩进行评议;审计委员会评议公司每年的审计结果与其外部审计人员以及许多其他履行职责的方式。监督是一种内心活动状态,是对公司如何运营的持久关注。每一个董事会面临的问题是这种监督应当和可能怎样深入以及深入到哪种程度的细节?董事们应当了解每一个经营单位的业绩,还是只需要关注公司的整体状况?什么是公司面临的主要风险,董事会如何监控这些风险?董事会应当尝试理解首席执行官哪些方面的绩效?

> 制定主要决策。每一个董事会都不得不制定一些关键性决策。但是,某些董事会比其他董事会制定了更多的决策。除了决定在什么时候以及通过什么方式更换首席执行官,向高级经理人员提供什么样的薪酬方案之外,董事会还决定重要的资本支

第四章

出、收购和剥离业务、资本结构和股利政策。一些董事会审议通过公司组织结构的改变和高层经理人员的任命。一些董事会审议通过风险控制。一些董事会只在很小范围内委托授权；另一些董事会则在很大的范围内委托授权。

➢ 向管理层，尤其是首席执行官提供建议和咨询意见。在某些实例中，首席执行官直截了当地要求董事会提供建议。另外的实例中，董事们作为通过或否决某项管理层提议的替代选择而提出建议。这两种情况下，董事们都是通过向管理层贡献其自身的经验和智慧使之受益。这些咨询意见是否被采纳或忽略主要取决于董事们如何强调他们的观点以及首席执行官对自己及其管理团队的判断力有怎样的自信。然而，重要的是，董事会的建议和董事会的决策有所不同。对后者，董事会有最终决定权，但对前者，首席执行官及其管理团队有选择权。他们能够决定接受董事会的建议、不予理睬董事会的建议或继续与董事会对话直至双方达成一致意见。

根据我们的经验，这三种类型活动的特定组合实际上界定了董事会的作用。一个董事会执意制定或审议通过的决策越多，其作用就越接近领航员的立场。这样的董事会未必会越俎代庖侵犯管理层的权力边界，但他们肯定会成为一个更有活力的合作伙伴影响公司的命运。另一方面，一个董事会将自己的作用界定在监督公司的业绩，几乎不提供建议,只介入极少数决策则明显属于监管者的模式。董事们从一开始就有"大概的感觉"董事会应当更多担任监管者作用还是领航员的作用,哪一点是有利的,但最终结果,仍然应以公司需要什么为基础来客观考虑董事会应执行的综合性任务。

四、思考董事会的作用

有**两个因素**决定一个董事会思考决定其角色的监督、决策和建议的活动。第一个因素是企业的环境。如果企业陷于困境或企业所在行业即将彻底地发生重大变化,董事会也许需要更多地介入原本不希望参与的活动。第二个因素是考虑董事们的能力和偏好。董事会必须询问自己能够贡献什么技能以及奉献多少时间。他们必须决定董事们如何轻松地向管理层委托授权(例如,他们对首席执行官的能力和判断力有什么样的信心?),因为这个问题也将影响董事会发挥的作用。

1. 公司环境

公司是否陷于困境或公司所处行业正处于重大变化的阶段?公司首席执行官是否得到董事会的认可并且创造良好的业绩?董事会希望与首席执行官发展哪种类型的关系?哪些关系是公司的所有者期望的?

企业绩效

回答这类问题公认的根据是公司的财务状况。如果公

第四章

司每年有良好的业绩与令人鼓舞的资产负债表,董事们可以断定他们只需坐在后台监控重大事项即可。"如果一切正常,无须干预"。在类似情况下这是理性的立场,但这种行事方式也存在风险。业绩良好的公司董事会可能会自鸣得意,不幸的是,商界从来没有永恒的事情。首席执行官是公司成功的核心人物,但他可能患病或决定离任。如果他和董事会在首席执行官的继任问题上没有协调一致,公司就可能衰败,或者出现了一个拥有商业模式优势的新竞争者。如果公司的财务业绩因此而下跌,董事会和管理层可能毫无防备。然而,大多数超然的董事会必须为类似的事件作好准备。

企业的复杂性

由于在公司财务收益栏数字的小数点之前附加一些零并不会导致公司更难于了解,因此我们关注企业的复杂性而不是规模。对董事会而言,一个单一业务的大型公司,即便在全世界进行经营活动,也比那些经营多种不同业务的公司更容易了解。一个全球性的快餐公司董事,如麦当劳(McDonald's)公司,或者某个主要航空公司,如英国航空公司(British Airways)的董事将发现,他们比那些经营多种业务的较小型公司董事更容易了解自己任职的企业。这类较小型的公司如宾士域公司[①](Brunswick Corporation),该

---

① 宾士域集团(Brunswick Corporation),总部设在美国的伊利诺伊州(Illinois),是世界著名的休闲设备用品制造商,《财富》(*Fortune*)杂志500强企业。——译者注

公司生产制造游艇、船舶发动机、健身设备,还经营保龄球中心并制造保龄球设备。前一类公司的董事只需了解单一业务的关键性战略要素,与此同时,那些监控着多元化经营公司的董事则面临着理解为公司成功作出贡献的多种业务因素的挑战。董事们需要考虑他们所应当了解的个别企业范围,以及如果董事会只关注于公司大局,他们监督这些公司时对管理层的能力有多大程度的信任。

行业动荡

行业动荡与公司的复杂性密切相关。与那些在一个更为稳定的行业环境中担任某个公司的董事相比,在一个以快速技术变革与新的竞争者层出不穷为特征的行业中担任某个公司的董事面临着更大的挑战。担任哪类行业的公司董事将会相对比较轻松?是像可口可乐(Coca-Cola)或百事可乐(Pepsi Co.)这样的主要竞争对手已经确定并且竞争规则已经完全建立的行业,还是与川流不息的新产品和新竞争者经常打交道的高速发展的生物技术行业?即使在竞争规则已经完全建立的行业,动态的衰退与并购也向董事会提出非同寻常的挑战。例如,考虑近年来欧洲电信公司的董事们所面临的任务。快速变化的行业或市场要求有更投入的董事会。一个董事会应当如何审议通过战略、监督业绩以及监控这些环境的主要风险?

与首席执行官的关系

无论董事会选择了扮演什么角色,它唯一的能够完成

第四章

的任务是与公司首席执行官共同有效率地工作。董事们肯定理解这一点,首席执行官也同样理解这一点。然而,董事会难得公开研究这样的最佳经验。更常见的情况是,让董事会与首席执行官的关系顺其自然演变。但是,如果董事会的作用与其所期望的与首席执行官的关系不清楚,其结果可能是破坏彼此之间的信任。

例如,我们曾经看到,某个美国公司中,一位新上任的首席执行官兼董事会主席,一个几乎没有任何董事会工作经验的人,决定"整顿我们的董事会"。他相信董事会工作效率低下并且正在白白浪费时间,他没有与董事会商议便试图替换专业委员会的主席及其成员、改变董事会日程的实质以及董事会讨论议题的类型和进度。董事们震惊了。由于他担任公司生产运营总监时的出色成绩以及相信他具有成为公司领导人的极大潜力,董事们选择他出任首席执行官,但是,他们也很快断定他需要更多的与董事会共同工作的经验。就董事会而言,他改进董事会的独断专横尝试证实了他们的观点,他的努力遇到了董事们的非难和反抗。

在这个实例中,新上任的公司领导人并没有敦促董事会成员(包括首席执行官)公开讨论决定共同工作的方式。在这种情况下,许多董事倾向于认为,"我们碰到一个不知底细的新伙计,我们最好保持某种程度的克制",但是,他们难得花时间考虑董事会在公司领导层的变更过程中应起的作用。我们相信董事们和首席执行官之间应当坦诚对话,公开讨论他们准备如何共事。

董事会和首席执行官之间的关系会随着时间的流逝而变化也是事实,这应当再一次敦促重新评估董事会的角色。当首席执行官建立了成功的履历记录并且董事会增加了对其领导能力的信任时,董事会也许希望较少地主动介入公司管理活动,或相反的情况下则更多地介入。无论哪一种方式,我们坚信董事会角色的任何变化或董事会与首席执行官之间的关系都应当在董事会内部以及在董事会与首席执行官之间进行坦诚的讨论。

最后,许多首席执行官对于领航员类型的董事会怀有忧喜参半的矛盾心情是可以理解的。首席执行官们大概更喜欢沉默的监管者类型董事会,听任他们自行其事,这允许他们以自己的方式运营公司。然而,即便如此,由于公司治理受到现代社会的特别关注,首席执行官们必须接受董事会确定其自身作用的需求,这样才能够通过董事会的作用促使首席执行官发现问题。处理这一问题的最佳方式是确保董事们和首席执行官坦诚讨论这件事情,以使每个人都有一个共同的理解。首席执行官也许并不完全喜欢董事会发挥的作用,但是,至少他会形成有关董事会将要如何运作以及需要做什么来构造一个富有成效的工作伙伴关系的清晰概念。

股东要求

另一个需要考虑的问题是公司的所有权关系以及股东的目标。例如,一个新成立的公司董事会,由创业的经理人员和风险投资者拥有所有权,这些股东对他们想要什么通

第四章

常有非常清晰的感觉——通过首次公开募股(IPO)①将公司成功出手。董事在这方面的作用是清楚的。他们需要治理公司以实现这个目标。

然而,一个大型的、公众投资的上市公司董事们所面临的更常见情形是:他们对于分散的股东基本需求是什么没有完整的理解。列出一个公司前50位大股东的名单很容易,但这并不等同于理解了他们是否有共同的投资目标。如果董事们不能清楚地了解公司的股东期望,我们相信他们至少应当明白董事会自己的目标。在短期内为股东创造财富?或以股东和其他利益相关者代表的名义保证公司长期成功经营?如果董事们对于董事会的所有目标没有达成清楚的共识,他们就无法决定如何发挥董事会的适当作用。董事会想取得什么结果以及在什么时间跨度内取得这些结果?我们相信这是根本性的问题,因为公司董事会和经理人承受着来自基金管理者和金融分析师的诸多沉重压力,他们要求公司每个季度的财务收益都有所增长。如果董事们不清楚公司的目标,他们会发现自己极有可能屈服于这些压力。

2. 董事会的风格和能力

为了决定董事会的角色,董事会也需要了解他们能够提供什么。无论偏爱发挥什么样的作用,自己是否具有相

---

① 首次公开募股(Initial Public Offering),指一家私人企业初次向公众发行股票。公司的创业者[和(或)风险投资者]可以通过发售股票套取现金而赢利。——译者注

应的资源与能力实现这种作用?在董事们的能力与风格偏好既定的情况下,董事会向管理层授权的限度是什么?

董事会的资源和能力

正如所看到的,从事董事会工作有两种基础性资源。一个是非执行董事能够并愿意投入到董事会工作的时间。另一个是董事们的综合经验和知识,特别是他们对其任职公司的了解。这两种资源明显具有相关性——董事们用于考虑和讨论公司事务的时间越多,他们所应当了解的公司的相关知识就越充分。

我们认为董事们在压力下承担了越来越多的任务,但投入到董事会工作的时间并没有增加。上市公司的董事们在董事会工作上究竟投入多少时间并不完全清楚。但是,正如在第二章所言,在大多数国家不大可能每年超过100小时。[7] 我们理解时间有限对于任何董事会发挥其作用都是最首要的约束,但是我们也相信,如果董事们非常投入地工作,并且因此而获得适当的激励,是有可能改变他们投入的时间长短。

在美国,安然公司(Enron)事件之后,伴随着萨班斯—奥克斯莱(Sarbanes-Oxley)法案强制实施的严格规定以及证券交易所提出的一系列新要求,我们有完美的例证表明压力下的董事会能够正视其成员需要为董事会的工作投入更多时间的事实。短期内,美国公司的董事,特别是审计委员会的董事们,看起来愿意迎接挑战。然而,鉴于董事们忙碌的生活状态和现存的激励结构,这种投入能否坚持多长

第四章

还有待证实。

除了时间之外，董事会还必须有恰当的信息与知识以发挥其作用。这使我们回想起第三章所描述的独立性与对公司了解程度的困境。简单地说，独立董事们通常从开始就存在知识方面的先天不足。由于董事们在其工作过程中不断学习，伴随着在董事会长期任职，知识不足的问题在某种程度上有所改善。但是，即使在董事会长期服务之后，尤其是在处于复杂的和急速变化的行业公司中任职，董事们经常发现知识有局限性并且理解处境对他们所能够发挥作用的现实约束。

由于大多数董事会为构建履行其职责所需要的知识体系而努力奋斗，董事们需要决定什么时候应当开始更深入地参与公司决策。IBM前首席执行官，文尼·利尔森（Vinny Learson）曾经谈及"公司决策的赌注"——这意味着：如果董事们的决策是错误的，完全可能葬送公司。[8] 对大多数公司而言，这类决策极为罕见，在这种场合，董事会往往已经深度介入公司运作，在思考董事会角色时，董事们需要理解哪一类的决策对决定公司的未来至关重要。即使一个处于监管者立场的董事会也希望在这样的重大决策中拥有最终决定权。

当董事们考虑哪些是与自己认为应当发挥的作用相关的和可利用的时间与知识资源时，他们必须保持客观与现实的态度。热心的董事们很容易忽略他们面临的现实约束。一个董事会企图实现既没有时间也没有知识保证的角色很可能与完全不考虑其角色一样，不可能成功。

授权偏好

　　董事会介入公司管理事务程度也反映了董事们的个人领导风格。一些董事坚信公司经理的任务是运营企业,而公司董事会的任务则是判定运营的结果是否令人满意。由具有这种思维倾向的董事所主导的董事会,可能从事所有董事会中的常见活动,但将以完全不干涉日常事务的方式执行。他们愿意介入更少数决策。倾向于不主动向首席执行官提出建议,除非首席执行官提出了这样的特别要求。这类董事会的董事们几乎不参与董事会会议之外的公司事务。

　　另外一些董事则喜欢更多地介入公司管理事务。他们只愿意授予经理层较少的权力并且想与经理层分担领导公司和审议通过关键决策的职责。具有这种思维倾向和领导风格的董事们发现,董事会没有行动和参与,充分实现董事会的观察和判断作用很困难,或根本不可能。这类董事会将更偏好于领航员的立场。

　　对于董事会而言,只有不同的领导任务,没有"正确"的领导风格。但是,决定一个董事会将要发挥的作用,理解董事会对其作用的立场非常重要,这也许会影响董事会希望从事的活动。如果董事会内部以及董事会与首席执行官之间对于他们都认为合意的董事会作用没有形成共识,很容易出现混乱和不满的结局。

第四章

五、思考董事会作用的准则

由于董事会的工作量很大并且董事们的时间有限,每一个董事会都必须决定以何种深度介入他们应当参与的公司决策,想在多大程度上介入向首席执行官提供建议的活动,选择监督公司哪方面的业绩。很明显,没有简单的公式能综合以上各种状况,来选择董事会应当起的作用。

另外,同一种情形可能将一个董事会吸引到迥然不同的方向。例如,一方面,行业的快速变化和复杂性可能建议董事会发挥一种积极的作用;另一方面,对于时间有限的董事们而言,这些情形使他们及时跟踪事件并对决策作出贡献更为困难。他们也许会辩解在技术要求高和快速变化的情况下,只了解有限的相关知识是特别危险的。董事会怎样才能解决这类问题呢?

董事们可以自问是愿意成为监管者还是领航员,但是,正如我们所言,这只是一个起点。董事们决定他们应当如何介入公司管理事务以及应当发挥哪些建议、决策和监督的综合作用,考虑其任职公司的环境以及自身的能力明显是必要的。每一个董事会需要询问自己这些问题:

> 董事们想在什么范围内为首席执行官提供建议?他们需要对公司有多少了解才有可能提供好的建议而不仅仅是提出好的问题?当管理层阐述其战略或提出一个投资方案时,董事会具有充分的知识来挑战管理人所持的观点吗?董事会需要作多少尽职调查来形成他们的观点?或者董事会只需根

据他们以往的经验简单提供一些评论就足够了吗？
> 董事们监督首席执行官和公司的业绩时需要介入哪些活动？董事会只需信任公司的总成果（例如，公司的总收益）即可，还是需要了解不同经营单位主要管理者的表现？如果董事们需要后者，在公司的复杂性和规模给定情况下，他们如何了解这些情况？董事会应当如何深入公司探究其所需要的信息？这样做需要花费多少时间以及获得必要的信息需要采取什么行动？
> 董事会需要监督的活动中最可能变化的因素是什么（例如，财务业绩、竞争地位、公司面临的风险、管理层的更替和培训、员工士气、消费者满意度）？董事会需要怎样的经常性监督以及了解公司的哪些细节才能获得这方面的信息？他们将依赖管理层提供的信息，还是相信自己独立观察的结果？假如在公司局面失去控制之前有机会发现蛛丝马迹，董事会需要采取哪些措施才能知道准确的信息？
> 董事会应当怎样广泛地介入公司的战略制定和评估过程？他们应当将其兴趣界定在公司战略层次的问题，还是希望了解公司较大的经营单位的主要战略问题，或是公司所有经营单位的战略问题？董事会获悉经理层制定的公司战略后是坐享其成，还是希望董事会在战略制定过程中发挥其相应的作用？
> 哪些决策和审议事项属于董事会的领地，而不属于

第四章

首席执行官？例如,是否包括这些事项:战略的制定与评估、资本和经营预算、风险约束、资产收购、资产剥离、高层经理人员的任命、最高层次的组织设计？如果董事会准备审议通过某项特殊的资本支出,需要在哪个层次上审议？董事会作出这些选择有哪些根据？

讨论这些问题将推动董事会以及管理层更好地理解董事会的作用。当董事们在某些细节问题上有不同意见时,异议将会引致开放性的讨论,这样他们才能够理解和解决问题。

由于我们中的许多人曾经对同一个术语的意思有不同的理解,根据董事会过去的经验讨论一些具体的实例很有价值。例如,"监督"或"评论"对不同的董事也许意味着不同的事情。最近对一些具体实例的讨论将揭示董事们自己以及董事们与经理层之间对这些问题是否真正达成了共识。如果一次资产收购的结果很失败,董事会本该可以做哪些不同的事情？董事会介入公司最近的战略决策过程恰当吗？首席执行官改革公司高层组织结构之前,应当与董事会协商吗？

关注这类问题并讨论以前的经验将引导董事会探究一些相当具体的细节。一旦对这些问题的答案形成一致意见,就有可能开阔眼界以更广泛的标准确定董事会希望发挥的作用——董事会将如何从事监督、建议和制定决策的活动,以及这些活动的组合应当是什么状况。

图4-1 确定董事会介入公司管理事务的构架

（每年的天数／每个董事）

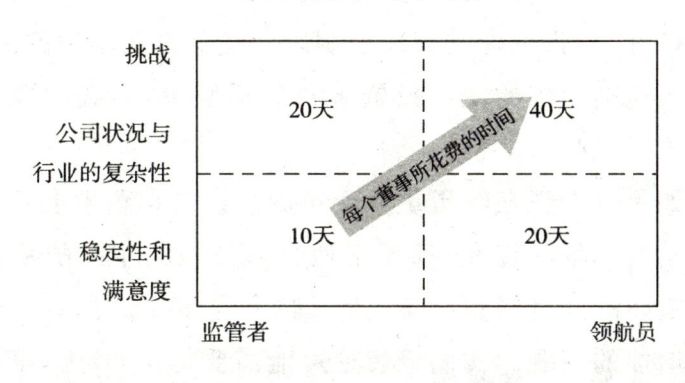

```
挑战
                  ┌─────────────┬─────────────┐
公司状况与        │   20天      │    40天     │
行业的复杂性      │         每个董事所花费的时间 │
                  ├─────────────┼─────────────┤
稳定性和          │   10天      │    20天     │
满意度            └─────────────┴─────────────┘
                   监管者          领航员
```

董事会的风格与能力

检验董事会扮演的角色是否真正可行的一种具体方法是，尝试估计董事们在董事会工作上必须投入多少时间。在假设一个董事会选择了角色的前提下，我们对此作了一个估计（图4-1）。我们的估计给从未坦率地讨论过这类问题的大多数董事会提供了一个起点：如果准备完成这些工作，我们需要投入多少工作时间？请注意我们看到的是最低限度的投入——每个董事每年10天或大约每年80小时——已经与北美国家每个董事平均每年100小时左右的工作时间差距不大。这引导我们得出必然的结论，许多董事在未来的工作中将不得不投入更多的时间。

如果一个董事会决定只发挥监管者的作用，根据企业的复杂程度不同，每位董事每年投入10天到20天的时间就可以满足需要。这类董事会的工作重心是确保健全合理的监控程序。我们的感觉是，在许多公司中这种监控作用

第四章

已经流于形式,即使公正拥护最低限度介入立场的董事会也需要增加调研活动。这很可能涉及增加对公司内部和外部的审计、扩张风险的管理控制以及类似方面事项的关注。也许还包括更多的关心投资项目的后续审计:我们取得预期的成果了吗?

如果一个正在经历重大变革的复杂公司董事会希望向领航员的立场演变,准备真正地介入公司的主要战略决策以及主要的经营问题决策,董事们也许需要认真对待时间投入增加的问题。我们猜想这可能需要每年40天,至少在他们任职的公司问题得到改善或环境逐渐趋于稳定之前应当如此。但是,即使这种水平的时间投入,复杂公司的董事们也必须精心选择介入的领域和方式。董事会很可能更多地关注公司整体层面的战略,而非具体业务单元层面的战略,除非有几个业务单元组成公司的主要收入。董事会将集中讨论投资组合的形式——哪些业务单元适合出售?增长点在哪里?创造价值的主要机会和困难是什么?正如我们先前提到的,即使是最强势介入的董事会也不得不限制其深入参与"公司赌注"问题的程度。但是,我们无法想象,例如,一个在大型电讯公司董事会任职的非执行董事,如果没有为董事会奉献大量的工作时间,如何可能在过去几年中合格地完成任务。这些处于快速技术变革环境中的公司置身于一些庞大的赌注中。回顾过去,我们能够看到其中一些公司在新技术上的投资已经导致股东价值的毁灭性损失。这些公司的董事们有必需的时间和知识审议通过这些投资方案吗?

然而，无论董事会介入公司管理事务的程度如何，向经理层授权将永远是实质性的工作，因为无论董事会发挥什么样的作用，非执行董事不可能成为管理者。即便是最积极主动的董事会，董事们也只能介入公司的重大决策以及监管公司的绩效。不过，董事会能够而且应当有意识地决定他们的监管如何细化以及董事们应当在公司内部和外部"踢轮胎"①多少时间。

六、不同的董事会有不同的答案

每一个董事会对其所发挥的作用都有自己的答案，并且我们相信围绕这一话题未来也将出现更多不同的答案。不同的公司、不同的地理区域，董事会之间的相似之处较少并且无疑更少受约定俗成的惯例控制。一种功能将不可能被强加于所有的董事会。最好的答案将反映特定情形的需要。此外，当环境变化的时候，董事会必须重新思考其作用。例如，与未经考验的新上任首席执行官共事时，董事会选择大量介入公司决策制定过程；当首席执行官获得了经验，取得成功并且赢得董事会的信任时，董事会也许可以降低其介入的程度。

每一个董事会确定自身角色的理念在董事会文件中并无大量的文字阐述。此外，董事会的角色和首席执行官的角色之间的分界线被假设为固定不变。许多公司治理专家

---

① 踢轮胎（原文是 kicking the tires），原意指修理汽车时踢轮胎的检查动作，这里引申为仔细观察和探究情况。——译者注

第四章

断言，所有的董事有相同的任务，他们的工作与管理层的工作有本质的区别。[9] 治理和管理的含义彼此之间截然不同。如果我们接受这一论断，决定一个董事会应当如何介入公司治理的任务将会受限于定义——董事们被禁止从事任何管理层承担的工作。

这种区分是无益的，因为它转移了我们对确定董事会作用的过程的注意力。董事会在某些场合也许决定自己需要介入通常被认为是管理层所从事的工作。另外，即使是最低限度介入的董事会所发挥的作用也是公司管理程序的组成部分，这样的区分可能会造成理解上的混乱。治理与管理之间的区分并非已成定局不能改变。当董事们审议通过投资和风险控制计划、签署战略和预算方案、监管业绩以及提供建议的时候，他们确实正在完成高层经理团队的任务。但是，他们通常只关注公司作为一个整体所面临的最重要事务。

这种看问题的方式也许让一些经理人员和董事们非常不愉快，因为它模糊了董事会和经理层职责之间的鲜明界限。但是，让我们用一个实例解释我们的观点：上世纪90年代，全球性的心脏起搏器制造公司中的两个竞争者。一个是总部设在美国，名列世界第一的美敦力公司（Medtronic），一个大型的单一产品经营企业。相反，另一个是以澳大利亚总部为基地逐渐成长起来的大型集团泰利克（Telectronics），名列世界第三，由澳大利亚的太平洋邓禄普（Pacific Dunlop）公司所有。美敦力公司的董事会从事与心脏起搏器经营有关的监管活动，与太平洋邓禄普公司董事会所从事的对泰利克集团的监管活动有极大的区别。[10]泰利克集团是太平洋邓禄普公司投资组合中的众多企业之一,太平洋邓禄普公司的董事会只能投入部分时间用于对集团的监管;相反,美敦力公司的董事会却能够深入了解并密切追踪企业的心脏起搏器经营情况。然而,这两个不同企业的董事会职责是相同的。二者的区别在于:太平洋邓禄普公司的董事会将泰利克企业集团董事会所承担的许多任务委托授权给公司的核心管理层处理。90年代后期,由于美敦力公司收购了其他医疗器械生产企业,董事会的注意力遂集中于所有的业务单元,结果是减少了对心脏起搏器经营情况的关注程度。

因而,实践中,我们不能用在董事会和经理层之间划清界限的方式来界定董事会的作用。董事会愿意选择不同的介入程度以及向经理层较多或较少程度地授权。在某些情况下,董事会的活动总是构成管理程序的重要组成部分。

我们还必须牢记社会的期望与董事会真正能够达到的目标之间存在差距。现代企业的复杂程度以及实际情况对董事会作用的制约,意味着董事会不可能简单地实现社会的每一项期望,即使他们为履行董事会的职责投入了更多的时间。从法律角度看,即便董事们将拥有的权力完全授予管理层,他们依然对公司负有责任。然而,这种责任的范围很难与独立董事们必然存在的时间和知识局限性协调一致。由于董事们的工作需要集中精力地投入,清醒的理解其角色的董事会将能更有效地使用有限的资源。

第四章

七、董事会的未来

如果每一个董事会明确地界定角色,董事会的功能在某些方面将发生实质的改变。董事会的组成与活动将会有更多的差异性。

在很多董事可能需要增加工作时间投入的同时,董事会应当明确其工作重心必须集中于自身的主要任务,而不是试图参与每一项活动。

我们对首席执行官的调查亦支持这一结论。坚持激进立场的人原本预料首席执行官们会利用每一个机会降低董事会介入公司管理事务的程度。但他们所说的情况并不存在。在安然公司(Enron)和随后的一系列公司丑闻发生之前,我们对首席执行官的调查研究结果表明,这些首席执行官希望董事们增加对董事会工作时间的投入。他们也不赞同通过缩减董事会的规模来提高董事会效率的观点(表4-1)。

我们已经阐述了董事会的职责和董事们可以利用的资源之间不匹配的问题。然而,我们相信董事们的董事会工作职责描述不可能在短期内改变。因为董事们处于复杂的公司最高端的职位,董事会对董事们的表现负有法律责任。我们也相信尽管首席执行官们、投资者和监管机构要求董事们投入更多的时间履行其职责是事实,但在可预见的未来不大可能出现任何明显的改善。不过,通过认真的界定董事会角色,董事们能够更有效率地利用他们有限的时间。

表 4-1　独立董事们需要更多的时间投入以及没有必要压缩董事会的规模

	首席执行官的回答：同意的百分比				
	北美	英国	欧洲	亚洲	澳大利亚
➢ 必须在董事会工作上投入更多的时间（C-1）	54	69	66	73	53
➢ 董事会的规模必须压缩以便董事们更有效率地发挥作用和职责（C-7）	11	12	20	20	20

注释：首席执行官们对这些命题选项的打分（用字母和数字表示，如选项 A-1）
　　　从 1（完全不同意）到 5（完全同意）共 5 个级别。
　　　在这个分析中，"同意的百分比"包括 4 分或 5 分。
资料来源：波士顿咨询公司、哈佛商学院"全球 132 名首席执行官调查 2001"

　　董事会面对着董事会作用的现实选择。我们对于从监管者到领航员的优先顺序并无偏好。至关重要的是，每一个董事会对于其希望发挥的作用要取得共识，然后努力实现目标。然后，这种角色将成为董事会其他部分设计的基础。必须减少当代董事会依赖传统和习惯运作的现象。通过公开讨论决定董事会的作用、董事会和经理层的关系以及董事们在董事会工作上需要投入的时间，尽管董事们既不能缩减董事会庞杂的任务，也不能找到更多的可投入时间。但是，他们将有可能找到弥补时间和知识局限性的最佳方法。以此为基础，第五章我们开始验证怎样设计更有效率的董事会以发挥其作用。

董事会的作用

第五章　董事会的运作结构

　　公司董事会主席和首席执行官的作用怎样分离？两个骑师能够同骑一匹马吗？

——董事

　　公司董事会主席和首席执行官的作用怎样合二为一？这不是让狐狸看管鸡群吗？

——董事

　　一旦董事会决定了其应当发挥的作用，设计问题就成为挑战。董事会的结构设计则是合适的起点。假设董事会最急迫的任务已经明确，什么样的结构能够让董事会成员充分发挥其最大的潜力？最合适的董事会规模是什么？执行董事和独立董事的最佳比例是多少？公司董事会主席应当兼任首席执行官吗？或者应当有一些其他的领导方式安排？董事会应当设立什么样的专业委员会？

　　对于类似这样的问题已经进行了大量深入细致的研

第五章

董事会的作用

究。事实上,董事会的结构已经成为关注改善公司治理的人们所寄予的最大希望之一。例如,2002年5月6日,《商业周刊》(Business Week)的封面文章"公司治理的危机"声称,所有的公司治理改善本质上是董事会结构的改善。[1] 很容易理解为什么结构在董事会改革要求中获得了如此的地位。结构是可观察的,结构的变化是可衡量的。机构投资者、股东群体以及其他利益相关方能够从每年的公司报告和委托说明书中看到这些变化,无论董事会结构的改变是否符合他们的愿望。

但是正如所言,问题在于即便这三方能够观察到董事会这些活动的结果,但他们却无法看到更为重要的内容:董事会会议室内部实际发生了什么情况以及董事会结构的变化是否对董事会的行为产生了任何影响。为了实现董事会的结构性改变,公司治理的积极推动者们有解决问题的良好意图并搭建了让杰出的董事会充分施展才华的舞台。现实中,他们或许只是在国际象棋的棋盘上简单地移动了一些棋子,却没有办法确定这些举动对对弈结果的影响。

他们对董事们是否相信这些改变的价值或者只是在外在形式上作了一些变革没有概念。考虑到董事会的两难处境,董事会的成员们也许希望讨好要求改善董事会结构的人。但是,如果董事们并没有同时考虑这种改变需要他们做什么工作,就会错失改革的良好机会。任何董事会改变其结构以使之切实支持其角色,动力——随着新结构而产生——必须来自董事会内部。董事们自己——无论是否有来自外部的压力——必须决定能让他们完成紧迫任务的最

董事会的运作结构

佳董事会结构。

一、基本原则

我们相信，并没有普遍适用的理想的董事会结构。一种符合某个董事会独特需要的特殊结构也许完全不适合另一个董事会。的确，世界范围内业绩最好的公司有多种不同的治理结构、不同的领导模式、差异很大的内部和外部董事比例、有区别的董事会规模以及多种类型的专业委员会。结构上的差异性对这些公司或其董事会的相关绩效并没有明显的影响。

但是，正如第一章指出的，虽然我们相信董事会必须进行设计以适应环境和公司，同时我们也同意有可能设计出适应大多数时期的最佳工作模式的观点。当很多董事会在考虑设计董事会结构的选项时，我们曾帮助过他们，我们相信在最佳经验范例中提出的许多董事会革新建议对大多数董事会都有指导意义。

例如，我们自己的体验证实较小规模的董事会比大型董事会更有效率的见解。这一前提也得到了大量的对群体决策机制的研究结果的支持。小规模的人群比较容易展开讨论，而且这样的会议更容易组织和领导。[2]（当然，确定董事会的规模还需要考虑其他一些因素，我们随后将讨论这一问题。）

我们也赞同董事会应当主要由独立董事组成的观点，然而并没有单一的内部董事和外部董事的"正确"比例。此外，无论公司奉行董事会主席与首席执行官的职责分离，还

第五章

是设立"常务董事"①，每一个董事会都需要为独立董事们制定出清晰的领导方式。根据简要的解释，恰如其分地选择取决于董事会所处的特殊环境。

最后，广为接受的观点是所有的董事会至少应当有三个专业委员会——审计委员会、薪酬委员会和公司治理委员会——全部由独立董事组成。³ 鉴于对公司会计数字是否真实可信的怀疑、首席执行官的薪酬以及董事会的监督，我们同意这类专业委员会对每一个董事会都是非常重要的。然而，必须承认，事实上，英语语系国家所有公司从上世纪90年代到21世纪自始至终都设立了这样的专业委员会，通常，这些专业委员会也是由非执行董事领导，不过，我们还是出现了安然（Enron）公司、世界电信公司（World-Com）和其他公司的大量灾难性会计丑闻以及管理层史无前例的贪婪例证。很明显，仅有这些专业委员会的存在并不能提供我们所需要的解决方案。关键是专业委员会是否实现了其预期目标，这是随后会更详尽讨论的问题。

这些是基本原则。然而，尽管我们相信这些最佳经验给予许多董事会很不错的感觉，但怎样强调都不过分的是：一个董事会的结构选择更多的是受过去传统或习惯支配，而不是受最佳经验的影响。一些董事会发现某些最佳经验确实适合需要。但另一些董事会则发现不存在真正适合情况的模式。如果某个时期董事会的历史上曾经出现过"创

· ① 美国的上市公司中，董事会主席和首席执行官由同一个人兼任的情况相当常见。这种情况下，通常指定一名独立董事担任常务董事（lead director），负责主持董事会的工作。——译者注

新性的思考",就是这种情况。在未来,希望有更多的董事会将发明自己的创新性设计。

在继续讨论之前,还应当注意:我们认识到在不同的管辖区域内法律要求也许会制约董事会的结构选项——例如,一些欧洲国家对双重制结构董事会的要求本质上决定了其实行的领导模式,即一位管理委员会主席以及一位监事会主席。与此类似,在德国,法律规定了监事会的成员资格。然而,尽管有这样的法律限制,我们相信世界上大多数董事会都面临着相似的结构选项。

二、一种规模并不能适合所有的董事会

董事会的规模为各个董事会如何量身定做选择结构的讨论是一个很好的起点。虽然各个董事会所处的环境决定合适的董事人数,但较小规模董事会比大规模董事会有明显的优势。哪些因素会影响董事会的规模?一个最基本因素是董事会为完成任务所需要的能力和知识的安排。每一个董事会应当列出一份专业技能和经验需求表。[4] 董事们感到他们完成任务需要的专业种类越多,董事会的规模就越大。

一些有关董事会改革的提议要求董事会增加一定类型的成员或承担一些新的职责。例如,美国的萨班斯—奥克斯莱(Sarbanes-Oxley)法案要求公司所有的审计委员会至少有一名成员是会计或财务专家。这样,所有上市公司的董事会中至少有一名独立董事必须具备这样的资格。

第二个影响董事会规模的因素相当简单,是时间的利

第五章

用效率。任何大型公司的董事们通常都居住在不同的城市,甚至不同的国家,各个专业委员会的会议日程安排因此成为一项困难的工作。

董事会在面临时间限制的前提下,一般而言,所有的专业委员会恰好在全体董事会议之前同时开会更有效率。这意味着一个董事会需要有足够的成员以便专业委员会的名单不会有任何重叠。[5] 例如,在美国,如果所有的董事会都需要设立三个专业委员会,再加上其他酌情设立的专业委员会,仅仅是涉及会议日程安排的组织工作很可能变得更为复杂,这也许导致董事会寻求更多的成员。

我们承认这些增加董事会规模的因素,但仍然坚持这样的主张:董事会应当力求保持能够运行的最小规模。我们所说的"小"的涵义是什么?假如需要推出合适的数字,建议最多是10名董事。我们相信8～10名成员对一些公司是合适的,甚至更少——也许是6～8名——对一些比较小型或不太复杂的公司应该足够了,尽管这样的小型董事会,专业委员会的会议日程安排可能是个问题。极个别公司也许能够为大型董事会找到正当理由——或许是12名左右的董事——但我们发现很难想象比这更大的规模还具有合理性。

一些董事会正在探索增加专业技能的新方式,以便既可以满足时间投入的需求又无须增大董事会的总体规模。例如,少数公司邀请几位公司外部非董事人员为董事会的专业委员会服务,解决高新技术方面的问题。全球性能源公司——澳大利亚的必和必拓公司(BHP Billition)——已经在公司的环境专业委员会中增加了数名熟悉相关领域最新科学和技术的非董事专家。澳大利亚航空公司(Qantas)在公司的安全委员会中也增加了一名前飞行员。这两个实例中,公司董事会的专业委员会获得了深入的专业性知识但没有增加董事会的总规模。我们知道还有更多的董事会已经接受了专业委员会会议分配的更多时间,以便他们能够完成自己的任务而无须增加成员的数量。如果需要在维持小规模董事会与有效安排委员会日程之间进行选择,这就是我们愿意推荐的选择。

　　与我们的观点相吻合,近年来董事会的规模已经缩小,尽管大西洋两岸董事会的平均规模仍然大于所建议的理想规模。根据史宾沙管理咨询公司的2000年董事会指数资料,现在,较大型的美国公司董事会平均规模是12名董事,与上世纪80年代初期的大约16名董事相比,数量下降了。[6] 在欧洲,董事会的平均规模大约是13名董事。[7] 不用说,这些平均数掩盖了公司之间与国家之间的大量差异性。例如,美国银行业的董事会平均是17名董事,某些银行甚至超过20名董事。大约35%的标准普尔500成分股(S&P 500)的董事会,其董事数量仍然超过12名。德国的董事会平均规模大约是20名董事,是英国董事会规模的两倍多。[8] 这是由于德国的法律规定,董事会必须有16~20名董事,具体数量取决于公司的规模。

　　我们注意到向小规模董事会变化的趋势明显放慢了。事实上,最近的调查表明,许多董事认为他们的董事会可能扩大规模但仍然可以保持效率。根据亿康先达(Egon Zehnder)的一个调查,北美和欧洲的董事们相信一个有效

第五章

率的董事会最大规模大约是14名董事。[9] 在史宾沙管理咨询公司2000年董事会指数中,超过一半的受访者相信理想的董事会规模应当在12~14名董事之间,同时,大约20%的人相信应当是15名或更多。[10]

尽管有这些董事们的观点,我们仍旧赞同小规模的董事会,我们调查过的首席执行官们也同意这一点。超过70%的人认同10名或更少一些的董事会更有效率,这也是跨越不同地区的多数人观点(参见附录,命题E-3)。正如所言,我们的观点一定程度上以群体动力规律为依据。超过一定的规模,董事会将无法作为一个群体正常发挥功能。大型董事会有可能使董事们之间滋生出不平衡——由于让所有的董事都参与讨论很困难,事实上形成了一个"A"团队和一个"B"团队。一些在"B"团队的董事甚至"去睡觉"——即他们停止以任何有意义的方式作出自己的贡献,因为主动性和参与的压力极小或根本不存在,他们的类似行为可以逃脱惩罚。在一个大型的群体中,单独的个体很容易假定其他人会做一些特定的工作。想一想安然公司的17名成员的董事会。这样的董事会规模能够比只有一半的规模为股东们提供更多的保证吗?在这样的董事会中每一个董事能够感觉到更大的责任吗?

如果一个董事会的规模增大,其权威性可能减弱。这看起来与直觉相反,因为大型董事会有许多董事监督首席执行官,似乎更能够行使其治理的权力。然而,实际上,相反的情况更可能是真相。试图控制公司董事会的首席执行官认为将董事会的成员从10人增至15人是扩张自己势力的开始。董事之间的沟通也会变得更加困难；他们可能发现更难于彼此了解。只有少部分董事会成员有可能参与董事会的讨论。在董事会会议之外，董事们之间几乎没有系统性的接触。

更有甚者，如果一个董事没有为董事会会议或参与讨论做准备，错失的机会将完全被忽略。

为了决定适当的董事会规模，董事们必须在群体效率、完成所要求的全部任务以及专业委员会会议时间安排的各种需求之间进行平衡。很幸运，这些考虑并不总是将董事会引到不同的方向。10名左右的成员就能够保持董事会的内聚力和工作效率。这样的董事会通常由有必要经验、足以完成专业委员会所要求任务的董事担任。

三、独立性的根据

正如在第三章讨论的，董事会的独立性已经完全决定了公司治理议事日程的安排。董事会结构的每一个方面都要在这个范围内进行评估。一个非执行董事任何看似利益冲突的情况也许都会在紧随而来的压力下被迫辞职。审计、薪酬或公司治理委员的成员如果不具备独立性，委员会将受到严厉的指责。在美国，这些委员会的所有成员都必须是独立董事。除了首席执行官以外，出席董事会会议的任何管理层人员很可能会受到越来越多的反对。

在当前的背景中，一个董事会的独立性仅仅根据其成员中有多少是独立的董事来判断。然而，我们相信真正的评价标准是整个董事会的独立性。为理解我们的用意，董

第五章

事们应当问自己下列三个问题：

> 除了首席执行官以外,任何其他管理层人员应当担任董事吗?
> 以前的首席执行官应当继续留任董事会吗?
> 所有的外部董事是名副其实独立的吗?

1. 执行董事?

世界大部分地区的大多数公司相信首席执行官应当在董事会有一席之地,无论他是否同时担任董事会主席。我们都同意这一观点。毕竟,首席执行官对其任职的公司、公司的环境有最深入的了解,应当全面地、平等地参与董事会的审议。事实上,个别没有在董事会任职的高级经理人员也担任着公司的领导工作,除非法律上明确排除了这种可能性。更为困难的问题是首席执行官以外的高级经理人员是否应当进入董事会。世界范围内这方面的实践差异很大,有些是受传统的驱动,某些情况下则是法律的要求,例如德国。[11]现在,美国的董事会除了首席执行官以外还包括极少量的经理人员。标准普尔500成分股的董事会平均约12名董事,通常只有1~2名是经理人员。

在英国,任命执行董事进入董事会的传统现在受到公司治理改革者以及投资者团体的广泛反对,出现了任命更多的非执行董事的趋势。如今,典型的英国董事会大概是经理人员与非执行董事各占一半。[12]在德国,公司高级经理人员并不是监事会的成员。公司其他雇员经选举进入监事会并且与股东代表一道共同履行职责。[13]

董事会的运作结构

对于首席执行官以外的高级经理人员进入董事会的正反两方面意见都有价值。从积极方面看,由于执行董事对公司及业务有透彻的了解,他们能够对董事会的讨论作出贡献。他们能够与首席执行官一起共同分担指导独立董事了解公司的任务。他们出席董事会减少首席执行官需要了解所有细节的负担并意味着独立董事可以从多个管理人员的视角了解公司。当某些熟悉公司情况的内部管理人员担任董事时,无论是有意或无意,都可以明显降低首席执行官误导董事会的可能性。最后,当公司的复杂性增长时,由于董事会中有能够了解公司各个方面的经理人员极为重要,更多的管理层人员担任董事能够增加其意见的权重。

从消极方面看,反对理由有两个。首先,董事会有时需要讨论某些难以解决的问题,特别是业务或与管理层有关的问题,这样的问题很难与执行董事们坐在一起讨论;第二,在董事会讨论中,执行董事们几乎总是坚持首席执行官的立场。我们已经看过太多这样的情形:由于害怕与老板、首席执行官的意见相左,执行董事们在董事会会议上从不发表看法。正如一位独立董事告诉我们的那样,"执行董事们浪费了董事会的席位,他们始终坚守着自己的分界线。"

"分界线"行为损害的典型在澳大利亚皇家委员会调查澳大利亚兴业保险有限公司(HIH Insurance Limited)[①]破

[①] 兴业保险集团,是澳大利亚第二大保险公司。1968年设立,到2001年时,兴业公司因无法消化收购来的不良资产于3月15日宣布破产,澳大利亚政府任命了一个独立的皇家委员会负责调查兴业破产案。兴业破产是澳大利亚历史上最大的公司倒闭事件。——译者注

第五章

产案件期间暴露出来,这起案件是澳大利亚历史上最大的公司破产事件。公司的财务总监(Chief Financial Officer)也是破产公司的董事,曾在调查中被盘问为什么他没有通知董事会有关公司在美国经营的危急困境。在回答记录中,他说,他已经警告过首席执行官这个问题,但是,"威廉姆斯先生(Williams)是公司首席执行官和老板。我向他表达了观点,本该讨论这个问题,但他强烈坚持另外的观点,我只能附和他的意见"。[14]

正反两方面的观点对于某种环境中的某些董事会都适用。所以,考虑应当有多少管理人员以及哪一类管理人员进入董事会,不仅必须认真评估他们为董事会贡献的知识,还必须评估他们在董事会主动参与的可能性。如果公司的首席执行官像第一章中描述的德尔福(Delphi)公司的巴滕伯格,那么一定数量的管理人员进入董事会有明显的好处。他们能够毫不拘束地表达自己的观点。另一方面,如果公司的首席执行官坚决要求管理团队遵守自己的思想路线——这是许多公司的现实情况——在董事会中增加其他的管理层人员将毫无用处,并肯定会浪费董事会的席位。

我们也相信任命管理层人员在董事会任职是作为他们过去努力工作和服务的回报是错误的想法。实践中更拙劣的情况是将董事的席位作为一个安慰奖提供给因竞争首席执行官落选的高级经理。挑选任何高级经理进入董事会的唯一合理原因应当是他(她)具有任职于董事会的能力、意愿以及对自己的工作作出贡献的自主权。[15]

有关执行董事问题的结论某种程度上是基本原则。我们确信,董事会作为一个整体是独立的。不过,这个问题也牵涉算术运算。我们推崇小型董事会,我们认为董事会的多数成员应当是非执行董事。例如,这意味着9名成员的董事会,包括首席执行官在内可能包括多达4名执行董事,但是,要求5名非执行董事完成专业委员会所要求的全部任务可能非常困难。此外,有这么多的执行董事,我们怀疑董事会是否能够真正独立,因为执行董事们有极大的影响力。

2. 前首席执行官留任董事会?

已经退休的公司首席执行官还应当留任董事会吗?某些公司和国家通常这样做,有些时候是作为董事会主席留任。[16]这几乎永远是错误的想法。为什么?因为前任的出席,会使新上任的首席执行官有被束缚的感觉。前任首席执行官本质上认同其在任期间采取的行动方式。家丑不宜外扬,无论是新上任的首席执行官还是董事们,没有人想使已离任的领导窘迫。因而,改变公司战略或组织结构的需要难以进行讨论,结果是拖延或完全回避了公司战略或组织结构的变革。我们认为通用公司(GE)以往的做法是正确的。当一名首席执行官退休时,他也同时离开董事会。按照规定离任公司总部以及董事会的重要职位,并且绝不返回。2002年所有关于通用公司前首席执行官杰克·韦尔奇的津贴(Jack Welch's)以及其退休之后收入的轰动性新闻中,评论家们都忽视了这一基本事实。

这个规则的唯一例外也许是一些学院型的非等级结构

第五章

的特殊公司。例如，一些上市的专业服务性企业有长期的团队领导传统，其首席执行官不过是"第一把手"。这些组织中合作伙伴风格式的管理文化与决策程序可能很容易为前任首席执行官在管理团队中安排其他合适职位，但董事会的职位并非必然选择。

我们也看到一些退休的首席执行官离开董事会数年之后再度返回董事会任职，但不担任董事会主席的良好局面。这种情况下，时间上的间歇允许新任首席执行官在公司建立自己的权威，这种安排在某些环境下是合乎情理的，特别是在合格的董事资源短缺的国家或董事会难以获得有关公司的详细情况时更是如此。

然而，撇开这些罕见的例外不谈，我们相信如果原企业中有完全适合退休首席执行官的位置，则多半是担任新任首席执行官的导师或顾问——不过，只有当双方愿意接受咨询的需求和愿意提供咨询的意愿完全吻合时才有可能。

3．外部董事名副其实地独立？

我们对于目前使用的定义中有关独立董事在董事会中应当占明显多数的基本原则没有异议。但是，我们也相信同时有一或两名非常了解公司情况的执行董事是有益的，即便在某些方面存在利益冲突。如果这样的人进入董事会，他们的地位必须能被确切地理解并且运用不断完善的程序处理任何出现的利益冲突。任何潜在的冲突都应当在授权委托书中陈述并被其他董事所了解。此外，被质疑的董事应当在讨论与其有关的任何利益冲突时进行回避。

董事会的运作结构

为推动董事会几乎完全由独立董事组成而提出的假设认为有利益冲突的外部董事不可能作出正确的决策。毫无疑问,这一观点在美国2001~2002年出现的业绩优良公司大崩溃后而得到更广泛的支持,不过,很遗憾,达到这一目标必须付出代价。一些可能存在利益冲突的董事有不道德的行为是事实,但是,假如所有对公司情况有深入了解却存在潜在利益冲突的董事不能加入任何董事会,并不意味股东的处境能得到更好的改善。

一些首席执行官曾经告诉我们,他们认为那些对产业价值链有经验的董事最具有价值。我们调查中的首席执行官在这个问题上的看法不一致,但是,即使在美国,这里是独立董事的温床,颇具规模的少数派似乎认同没有必要所有的董事(除首席执行官以外)都应当是独立董事的观点(参见附录,命题E-2)。

到目前为止,我们已经论述了准法律意义上的独立性,对单独的个体而言,独立性可以通过追查他过去和现在与公司的联系进行确认。然而,独立性也是一种心理状态。为了真正独立,董事们必须做到毋需对首席执行官心存感激——在美国这是一种特殊的风险,因为公司的首席执行官通常也领导着董事会。这意味着董事们应当经过挑选并且被邀请通过显然是由其将来共事的董事们"控制"的程序参与竞选。他们准备加入公司的董事会,而不是首席执行官的董事会。首席执行官当然要与董事候选人会晤,他的观点在选择新董事时应当被考虑。然而,最后的决定权必须属于董事会,通常是经过公司治理委员会,董事候选人应

第五章

当非常清醒地意识到这一点,正如通用公司董事会指南中所陈述的那样:

> 董事会自身应当负有责任,对选择自己的成员负有事实和程序上的责任。董事会将遴选董事的程序授予负责董事事务的专业委员会,该委员会接受董事会主席以及首席执行官的直接指导。
>
> 加入董事会的邀请书应当由董事会自己发出,以负责董事事务的专业委员会主席名义(如果董事会主席和首席执行官的角色合二为一)、公司的董事会主席与首席执行官的名义发出。[17]

当董事们代表大股东时,可能发生另一个与独立性有关的问题。这些董事们可能发现自己处于复杂的境地。作为名义上的独立董事,他们被期望代表所有股东的利益,但是,他们对其所代表的特殊股东也负有责任。我们了解法院或其他方面已经对这类董事的独立性进行批评的个别实例,我们相信对他们而言,最佳的方案是和其他有潜在利益冲突的任何董事一样遵循同样的程序。他们应当披露潜在的利益冲突并且在讨论可能存在的利益冲突情况时进行回避。[18]

概括而言,我们同意董事会应当主要由专业上和心理上都独立的董事们组成。然而,一些董事会也许可以通过选举少量背景可能导致一些利益冲突的董事而获得益处,如管理层成员、大股东的代表、以前的顾问或有相关行业经验的人。这样的董事能够带来与首席执行官不一样的相关知识,并且对独立董事成员们非常有价值。我们的告诫是他们的地位必须能够被确切地理解并且被其他的董事会成员所接受,运用不断完善的程序处理任何出现的利益冲突。另外,他们的利益冲突还必须向股东和社会公众进行充分的披露。这样的步骤可以确保董事会作为一个整体具有独立性,同时在保持独立董事的适当比例与增加董事会对企业了解的需求之间取得平衡。董事会的领导风格对于整个董事会如何实现独立性也有重要的影响。

四、董事会的领导

在董事会的实践中,**没有任何方面的问题**比公司董事会主席和首席执行官的角色是否应当分设或合二为一更能产生争议了。即使在英语语系国家,有关这一问题的观点也不一致,支持者们激昂地捍卫各自的立场。然而,值得注意的是,每一方的争辩仅仅是为了理解另一方的模式如何有运作的可能性。大多数美国人无法想象一个公司在两个领导角色分设的情况下如何能够运营。与此同时,英国、澳大利亚和许多欧洲人很难理解公司的一位首席执行官怎么能够同时还担任董事会主席,领导着被设想为监督自己业绩的董事会。如果你不相信我们,尝试邀请一两位美国的首席执行官与他们的英国或澳大利亚同僚共进晚餐,让他们开始争论吧!

当董事会考虑适合其环境的最佳领导结构时,他们首先需要考虑所在国的企业文化。这样的文化在各个国家对公司首席执行官和其他高级管理人员形成了别具一格的特

第五章

定期望。例如,在美国,引进一名新任首席执行官却没有同时安排他担任董事会主席几乎是不可能的。否则,这样做将给外部世界一个信号:他并不真正对公司的领导承担责任。首席执行官自己也感到在同事心目中他是一个次要的企业领导者。我们已经提到,在其他国家,首席执行官们认可和理解自己不担任董事会主席,只有一项领导职务绝不会有损一个人的声誉。

无论选择什么,一个董事会的领导结构对于董事会所希望维护的独立程度有主要影响。如果公司的首席执行官和董事会主席是同一个人,独立董事们又没有其他被委派的领导人,即使一个董事会全部由独立董事组成,他们也会发现自己很难真正独立。这种情况下,公司首席执行官/董事会主席能够完全控制董事会的日程安排、向董事们提供的信息以及董事会会议的导向。此外,独立董事们可能发现很难单独召集和组织董事会会议。所有这些叠加的权力掩盖了首席执行官/董事会主席获得的好处,使得董事会很难保持独立的姿态。

如果你认为夸大其辞,想一想通用公司董事会在90年代早期遭遇的困难。追溯以往,当时很多"独立"董事对公司业绩持续衰落和罗杰·史密斯(Roger Smith)、罗伯特·斯坦普尔(Robert Stemple)的领导感到不安,但他们无法安排讨论会进行商议,也没有领导人把他们聚集到一起。减少公司债务比率威胁的迫切需求促使董事们采取行动,并且鼓励约翰·斯梅尔(John Smale)担负起董事会领导人的责任。一旦作出这个决定,斯梅尔及其同事就具备了采取行动的能力。

在许多人看来,公司董事会主席和首席执行官的角色分开设立似乎是确保董事会自主权和独立性的理想结构。董事会主席领导董事会,首席执行官领导管理层和公司。这样的制度安排在大西洋两岸热心推进公司治理的积极分子中非常流行。美国的许多机构投资者已经建议实行这种制度,英国的卡德伯利(Cadbury)报告也赞同这种制度,同时,美国的专业委员会最近提交的更多报告和英国的黑格斯(Higgs)报告也持同样的观点。[19]另外,最近由麦肯锡公司(McKinsey)主持的针对美国董事的调查活动发现,几乎有75%的董事支持任命一名常务董事(lead director),令人诧异的是有2/3的董事支持公司董事会主席和首席执行官的角色分离。[20]这里,我们应当简要回顾常务董事的观念。

不过,在企业中总是这样,事情绝不是如同第一眼看起来那样很清晰。这位在大西洋两岸公司董事会中都有工作经验的美国首席执行官的话值得深思:

> 欧洲人不能理解我们如何将公司首席执行官和董事会主席的角色合二为一。我看到英国电信公司(British Telecom)的案例,那里先后轮换了几轮董事会主席和首席执行官但公司业绩仍不断恶化,所以,两个角色分开设立并非灵丹妙药。这完全依赖于人际关系。其实两种方式都能行得通。

第五章

英国最近的研究支持这一观点,研究进一步显示,这个国家的公司董事会主席和首席执行官完成的任务在不同公司之间有很大差异。[21] 一些英国公司的董事会主席在其领导的公司中非常活跃以至于大多数美国人认为他正在出演首席执行官的角色,而名义上的首席执行官的任务——按照美国人的定义——是运营总监(Chief Operating Officer)负责。这些董事会主席每天到办公室上班,非常积极地参与公司战略的发展与完善,向首席执行官提出"建议"以及监控公司业务。在另一个极端,一些英国公司的董事会主席将自己的任务限定在领导董事会,当他们需要关照董事会事务时,只在公司总部露面。在两个极端之间,英国公司的董事会主席和首席执行官用多种不同的方式划分彼此的工作职责。有些时候,一名年长的董事会主席——通常是退休的首席执行官——担任新任首席执行官的顾问和导师。其他时候,董事会主席除了领导董事会之外,还负责公司与投资者的事务以及对外关系,但是,首席执行官是公司所有其他方面的领导者。

对英国情况的这一描述,我们自己在澳大利亚的工作经验也可以证实。长期以来,这里公司董事会主席与首席执行官的角色一直分开设立,这证明即使公司董事会主席与首席执行官角色分离的基本原则被认可,差异也是如此之大以至于人们可能怀疑这个基本原则是否值得维护。然而,正如我们所言,围绕这一问题的争议非常激烈。我们将其视为一个理论与实践战斗的实例。理论宣称公司董事会主席与首席执行官的角色应当分离,但两个角色合二为一的支持者们指出，许多成功的公司两个角色是合二为一的，尤其是在美国，这是理论错误或不适用的证据。

无论如何，反对将两个角色合二为一的领导模式的争议继续存在。本质上董事会的主要职责是监督首席执行官和管理层的业绩，显而易见，如果公司董事会主席和首席执行官是同一个人，这可能是欺骗性的把戏。但是，不管美国公司治理运动如何强硬地推动两个角色分离，美国公司现在慢慢地接受了这个观点。我们已经看到，大多数美国标准普尔500成分股（S＆P 500）公司由首席执行官兼董事会主席领导。根据最近一项调查，到2001年的最近5年中，美国公司董事会中首席执行官和董事会主席角色分离的比例从19%下降到10%。[22]是否有论据支持两个角色合二为一？在基本原则和实践两个方面，我们都有这样的论据。

首先，针对两个角色合二为一产生的理论争议承认董事会的授权并不只限于监督经理层的业绩。董事会不仅仅是扮演警察的角色。正如我们已经看到的，他们也制定决策，也被期望审议通过公司战略并审议通过主要的资本支出、企业并购和资产剥离计划。就这些内容而论，在决策过程中董事会和管理层纠缠不清。当董事会的领导者十分熟悉公司业务时，相信短期内就可以提高董事会的效率。如果需要告诉独立董事们一些复杂的问题或者指出哪类决策他们可以提供看法，担任董事会主席的首席执行官做这些工作就游刃有余。我们观察到，有时候当董事会主席和首席执行官两个角色分离时，倘若董事会主席对公司业务的了解非常有限，他的日程安排意味着董事会不能考察公司

第五章

深层次问题吗?

其次,当广为流行的观点坚持董事会治理公司管理层人员时,现实情况却更为复杂。外部董事很难有效率地开展工作,除非管理层希望他们有效率,我们将在第八章对这一问题进行充分的讨论。无论公司首席执行官和董事会主席的角色是否分离,唯有首席执行官能够确定董事会需要熟悉什么样的业务以及董事们能否作出有价值的贡献。独立董事们完全是兼职,他们必须依赖管理层的合作才能有效率。倡导公司首席执行官和董事会主席的角色分离可能令人反感,将首席执行官和董事会主席的任务合二为一则是承认这个现实。

然而,很明显这种结构需要确保董事会仍然承担责任并维持其自身的独立性。要做到这一点,我们相信有两件事是必要的:第一,董事们必须有独立的姿态。第二,必须有"常务董事"(lead director)。常务董事的主要职责应当是:当有人提议或情况必要时,召集和领导完全由独立董事参加的董事会会议。这种会议可以是独立董事们交换看法或评价公司首席执行官业绩的定期会议,也可以是处理一些牵涉首席执行官或与首席执行官有利益冲突的危机事件的临时会议。某些情况下,常务董事可能行使类似董事会主席的职责,诸如安排董事会的活动日程或在董事会成员与首席执行官之间充当中间人。不过,应当谨慎地赋予常务董事这些职责,因为这可能削弱公司董事会主席的作用并损害其他董事和首席执行官之间的关系。总之,常务董事应当增进独立董事治理公司的能力,而不是损害这种能力。

在美国,通用公司2002年后期为其董事会设立一名"首席董事"(Presiding Director)。[23]这个职位的第一位就任者是安德鲁·西格勒(Andrew Sigler),他是在通用公司任职时间最长的独立董事,也是董事会薪酬委员会的主席。让一位掌管如此重要的专业委员会主席职位的资深独立董事就任首席董事的意图似乎是赋予这个职位对其他董事和管理层充分的影响力。通用公司首席董事的职责是:每年至少主持三个没有公司管理层人员出席的董事会会议。他还与公司董事会主席和首席执行官一起挑选专业委员会主席,安排董事会会议日程,并负责组织董事会每年一度的自我评估。

很明显,通用公司的董事们看起来决定为独立董事们设定领导人,我们对此非常赞许。然而,我们也担心设立这样一个职责广泛的常务董事职位可能会削弱董事会主席的作用并损害公司董事会主席/首席执行官与其他董事之间的自由沟通。如果常务董事有过多的权力,他可能使公司治理关系复杂化,甚至限制其他董事与公司董事会主席/首席执行官协同工作的能力。这种情况下,为董事会主席和常务董事制定合适的任务说明需要谨慎小心以保证董事会的整体效率。这样,才能产生有效率的公司治理。

美国的大公司中,大约有25%已经公开宣布任命了一名常务董事。我们相信许多其他董事会也有类似的任命但没有任何公开的宣告——也许由于一些美国的首席执行官认为这预示着他们已经不能完全控制其公司的命运。其他

第五章

一些美国公司董事会没有正式任命"常务董事",也已经解决了独立董事的领导问题,其具体做法是指定一名专业委员会的首脑或在公司长期任职的资深董事行使这样的职责。以我们的观点,董事会除了有公司董事会主席/首席执行官之外,有真正独立领导人的事实比给予头衔更为重要。[24]但在现代社会,有这样的角色而不向公众披露的想法站不住脚。公司的股东和其他利益相关者有权利知道谁负责董事会内部的领导工作以及谁对公司负责。

由于涉及有权势的人及他们的自我价值认同,公司董事会主席和首席执行官角色分离的结构在理论上似乎很完美,但实践中可能颇为复杂。我们已经提到过由于董事会主席不能充分了解企业导致董事会效率降低的实例。我们还看到由于公司董事会主席与首席执行官之间的持续冲突造成董事会逐渐变得无效率和公司受到损害。还有一些实例是由于董事会主席认为自己应当负责管理公司,其对公司业务的干预致使管理团队无所适从。当然,也有许多范例显示实行董事会主席与首席执行官角色分离领导模式的董事会和公司运作得非常成功,这是因为董事会主席与首席执行官理解并认同他们各自的作用。在这些范例中,董事会主席领导董事会,首席执行官领导管理层。

因此我们推断,两个领导角色分离在实践中似乎并没有理论上那样简单。只有当公司董事会主席与首席执行官之间有清楚的共识和互补性的职责,现实中他们才能有很好的工作配合。此外,实践经验也显示公司董事会主席与首席执行官角色合二为一的结构可能很有效率。所以,我

董事会的运作结构

们在两种结构之间选择的立场是：讲求实效。两种模式都能够运作得很好，但无论采用哪种模式，都可能出现问题。不管选择什么，成功的董事会领导结构的秘诀是：预知潜在的问题并且设计程序解决这些问题。

董事会的领导者们在预测问题方面做得并不理想，在问题出现之后，他们制定解决问题的程序通常也很迟钝。也许他们不喜欢承认高层管理人员和董事们会犯错误。承认会犯错误就要接受失败的可能性，这大概与企业领导人处于事业成功巅峰的自我形象不相称。

但是，很可能出现的问题并不难确定。由公司的首席执行官/董事会主席领导、独立董事组成的美国式风格的董事会，对浮现的企业问题可能反应迟钝。这也许是由于外部董事们彼此之间的了解不够，难以动员起来并采取行动。或许是首席执行官控制了董事会的日程安排和信息沟通让董事们受到了伤害。如果董事们硬性要求了解更多的信息，首席执行官很可能因顾及脸面而有负面的反应。还有可能是首席执行官以不允许外部董事获得所需信息的方式控制董事会会议。另一方面，在公司董事会主席和首席执行官角色分离的公司，董事会主席可能侵入首席执行官的领地，导致了降低效率的冲突。或者董事会发现董事会主席以很难真正奏效的方式安排董事会的会议和日程。更糟糕的是，独立的董事会主席也许无法恰当地了解企业。

当上述这些问题出现时，每一个董事会应当有适当的程序或结构发挥自动解决问题的断路器（自动断电的）功能。董事会的设计应当成为讨论的核心，而不是过分辩论

第五章

两种领导模式的优缺点。我们想推荐的基本范例是每一个美国式风格的董事会设有一名常务董事。董事会应当任命一名独立董事或者一名董事会专业委员会的首脑,例如,公司治理委员会的主席担任这一职务,以董事会的名义监督公司首席执行官和董事会主席的工作关系,这样可以做到领导角色分离。这名独立董事还应当向两位公司领导者和董事会提供反馈意见。这样一个角色非常重要,因为领导角色分离的董事会在为不确定的董事会主席提供反馈意见方面通常做得很差。

在调查中,首席执行官支持有关某种类型的独立领导很重要的观点。我们事先预测北美地区对这一观点的支持率可能很低,但实际上支持和反对的比例几乎持平,而不是像原本预期的是压倒性的反对意见(参见附录,命题E-7)。

大多数热心推进公司治理的积极分子不承认两种领导模式都可能犯可怕的错误,继续推进美国公司中首席执行官与董事会主席两个角色分离。我们建议他们应当谨慎对待希望实现的目标。我们相信如果他们的关注直接指向确保每一个董事会,无论其领导结构是什么,有一个独立董事担任的领导人并确立了一致认可的程序处理任何出现的领导问题,将会更有成效。没有这些,不管其领导模式如何,董事会很可能对那些危害公司的领导问题反应过于迟缓。

受这一讨论的启发,继续开展有关"最佳"领导结构的争论对于董事会希冀发挥的作用没有任何参考价值。我们深信无论一个董事会选择了哪一种角色,两种领导模式都是可行的。然而,很明显,一个董事会越积极主动地介入公司事务(像一个领航员),董事们和管理层清醒地理解其各自的作用就更为重要。此外,这种情况下,董事会必须具备参与决策的相关知识。如果公司董事会主席和首席执行官是不同的人,这意味着董事会主席必须对涉及公司重要决策的问题有敏锐的洞察力并确信董事会拥有相关的信息。如果是同一个人兼任公司董事会主席与首席执行官两个职位,常务董事有责任确保管理层乐于提供适当的信息,他的董事同伴们对接收到的信息感到满意,个人也能理解所涉及的问题。这样可以节省时间和精力。

如果董事会倾向于更多地发挥监督作用(监察员),董事会和管理层的任务区别很可能会更加清楚。另外,无论适当的领导结构是什么,董事会都要确保利用适当的程序和信息实现监督功能。监督责任要么落实到董事会主席,要么落实到常务董事。

五、董事会下设的专业委员会

设立董事会的专业委员会是在董事会成员中**合理地**分配任务以便在有限的时间内完成更多的工作。专业委员会可以让董事们发展专业知识深入探究一些特定的问题。事实上,专业委员会是董事们愿意划分工作任务的例证。

大多数围绕专业委员会的讨论关心三个核心委员会的成员资格——审计、薪酬和公司治理。在高利润公司会计问题和首席执行官不可思议的薪酬丑闻曝光后,审计和公司治理委员会吸引了大量的关注。这些专业委员会在越来

第五章

越多的司法管辖区域内被强制要求成立,其职责得到了共识。[25]调查显示,几乎所有的欧洲、北美和澳大利亚的公司都设立了审计委员会和薪酬委员会。[26]除此之外,欧洲、北美和澳大利亚公司董事会中提名委员会或公司治理委员会的数量也不断增加,这是美国目前的法律与监管规则要求设立的。这个专业委员会管理董事会的内部事务,包括挑选、提名或再度提名董事会成员、决定董事会的构成、评估董事会的综合效率。当代公司治理最佳经验准则要求这些核心专业委员会的每一位成员都是独立董事,而且,这也是美国的法律与监管规则的要求。[27]

显然,承担监督管理层(审计),委派监督者(公司治理),确定管理人员的薪金和奖励(薪酬)任务的专业委员会不应当包含管理人员。管理人员不可避免地会介入专业委员会的工作,但最重要的是明确限制管理人员向这些专业委员会提供信息的作用。总之,专业委员会的实质是保证决策不受管理层的任何影响。

我们知道近年来一些公司首席执行官仅仅是表面上不干涉这些专业委员会的实例——为了获得那些从公司外部衡量公司治理优劣的人认可。没有人会被他们愚弄到认为只要从这些专业委员会中正式排除首席执行官或其他管理人员就会产生根本性的区别。他们想在专业委员会审议时通过提供信息和建议进行暗示太容易了。

保证专业委员会效率和独立性的最佳途径是挑选一名合适的委员会主席,他不仅是具有专业判断力的独立董事,而且要个性独立与诚实正直。一名专业委员会主席不仅需要有审计、薪酬或公司治理方面的知识，还要具有抵制来自首席执行官或其他方面任何压力的人格力量。

慎重考虑专业委员会的规模和挑选其成员的程序也非常重要。我们已经看到一些专业委员会多达6名成员（例如安然公司的审计委员会），我们找不到这样大规模的专业委员会存在的理由。以我们的经验，一个由3名成员组成的专业委员会似乎最理想（包括委员会的主席）。这样的规模大到足以提供不同角度的建议，小到容易达成决策。另外，"奇数"数量的成员可以形成合理的紧张气氛，促进有争议问题的讨论。

这样小规模成员的另一个优点是能够，而且应当，经常鼓励所有的成员积极参与专业委员会的工作。我们看到太多这样的情形，专业委员会主席承担了所有的重任，与此同时，其他成员却只是参加会议并且偶尔提出一些讨论意见。在一个要求专业委员会承受增加工作负担的时代（例如，美国法律中对审计委员会的规定），[28]让全体成员分担工作极为重要。事实上，有效率的专业委员会主席的特征之一是能够鼓励全体成员分担工作，而不是自己单独完成所有的工作。

我们也提倡专业委员会主席及其成员每过几年进行轮换，以便所有的董事会成员在其任期内可以在一个以上的专业委员会服务，并且能够从工作经验中了解公司。

董事会的专业委员会是董事会的分支机构，所有的董事会成员应当共同履行董事会的全部职责。我们承认美国萨班斯—奥克斯莱（Sarbanes-Oxley）法案中的规定（该法

第五章

案赋予审计委员会向股东推荐审计人员、监督审计人员等方面更多的职责)使得审计委员会独立于董事会的其他部分。我们担心这可能切断这个委员会与董事会中未在该委员会任职的其他成员之间的联系。不过,我们也相信尽管有新的法律规定,董事会自身(通常经过公司治理委员会)有权挑选和轮换审计委员会的董事会成员,只要这些成员具备所需要的知识。我们相信,这一现实因素可以防止审计委员会从董事会整体中过度分离。轮换各专业委员会的成员的同时应当确保董事会的内聚力。

另一个重要问题是,除了前边提到的三个专业委员会之外,是否有必要设立其他的专业委员会。制定这样的决策需要考虑两个关键问题:避免董事会过度入侵管理层的领地;确信设立更多的专业委员不会分散董事关心公司的重要问题的注意力。让我们逐一进行分析。

设立董事会的专业委员会意味着董事会积极探究公司的深层次问题,增加专业委员会(例如战略委员会或技术委员会)可能导致这些委员会的董事们介入管理层的决策。我们已经看到这类专业委员在运作之中,并且注意到他们与管理层之间时常出现紧张气氛。这些委员会中的董事们很容易成为事后诸葛亮并干涉管理层的决策,这通常都是无益的做法。

第二个危险是设立这样的专业委员会将使一些董事们脱离重要的决策。战略可能是一个很好的示例。当号召或尝试设立战略委员会的时候,多数董事会抵制这个想法。他们相信所有的董事都应当对重要的战略问题讨论提出意见。如果形成一个专业委员会专注于战略或类似的重要问题,董事会作为整体的参与程度就会降低。既然当初设立专业委员会体现了董事会治理公司的需求,董事会的所有成员都应当深度参与重要问题的讨论。

但是,董事会需要完成大量的任务,正如第三章中所论证的,如果要完成任务,董事会进行工作分工是必要的。因此,为满足公司特殊需要而酌情设立董事会专业委员会的空间。这个空间可以涵盖监控公司主要风险领域的专业委员会,特别是有严重的法律责任威胁或决策失误足以导致公司毁灭的领域。例如,许多资源公司和化学工业公司设立了环境委员会,因为该领域的严重失误可能产生灾难性的后果。同样,金融机构增加了风险委员会,航空公司有安全委员会。任何企业只要面临能迅速毁灭公司的巨大风险,就有理由设立一个相关的董事会专业委员会处理这种风险。

某些董事可能会反驳:这些问题如此重要应当由整个董事会负责解决,当涉及深奥的技术问题时,董事会为圆满完成任务费尽心机。设想一下,每一个人都承认审计委员会所考虑的事情极为重要,但是,大多数人理解审计是专家的领地,最好由能够真正深入研究这些问题的专业委员会去应对。"整个"董事会解决复杂的风险问题,理论上是每一个董事都参与,但实际上是无人承担责任。原因非常简单,要求所有的董事都理解技术细节过于困难。

专业委员会也向公司雇员和其他利益相关者发出了某些事情对公司至关重要的信号。例如,美敦力公司设立了

第五章

技术与质量委员会，这清楚地显示董事会关注这方面的事务。由于专业委员会的成员具有技术或科学背景，他们能够相互沟通并使公司在相关的技术领域受到尊重。这个专业委员会的存在也突出了产品质量的极端重要性并要求体现在所有的质量控制程序当中。公司无法承受产品质量风险，因为缺乏适当的质量控制程序可能导致公司高级经理人员遭受犯罪的刑事指控，更不用说会危及患者的生命。

撇开专家的领地不谈，我们的立场是董事会除了设立三个核心专业委员会外，还应当有个别的永久性专业委员会。不过，我们也提倡设立临时的特别（ad hoc）委员会以便少数董事能够深度参与特殊时期内对董事会极为重要的决策。这些决策可能包括收购一个经营不善的企业或剥离公司的非核心业务。公司的研究和发展（R & D）基金投入停滞不前也可能引起董事会的关注。管理层的培训或经理人员的更替也是对董事会的挑战。其中最重要的也许是需要寻找、挑选新的首席执行官。

1991年，美国的鲁金斯钢铁（Lukens Steel）集团董事会提供了一个利用这样的专业委员会的范例。[29] 当时该集团考虑收购另一家特种钢材生产企业——华盛顿钢铁公司（Washington Steel）。这个决策对鲁金斯钢铁集团有重大意义，所以，董事会决定设立一个特别委员会，命名为"炼钢设施委员会"（Melter's Committee），以应有的勤勉评议所有可以被公司经理以及公司的银行、律师和咨询顾问利用的交易准备信息。然后，这个专业委员会的5名成员与公司的高级经理人员一起开会研究问题，他们要确信经理层介绍的情况真实可信,并且建立在谨慎分析的基础之上。最终委员会断定这次收购确实有充足理由,向全体董事会推荐实施收购计划,并获得董事会的同意。

美国特拉华州(Delaware)法院已经倡议建立命名为"特别委员会"的临时性专业委员会,在公司经理层提出杠杆式贷款收购(Leveraged Buyout)①要约时负责向全体董事会提出对收购计划的建议。这种情况下,关键的理念是"打破独一无二的董事会对董事们的束缚",所以,不管内部董事们想干什么,专业委员会的独立董事们应该能够真正独立判断什么是股东的最佳利益。[30]我们相信,在任何公司管理层有重大利益或者董事会希望保持其独立性的重大事件中,利用由公正无私的董事们组成的专业委员会是很好的创意。上述所有的情形中,特别委员会的任务是分析迫在眉睫的事件并向全体董事会提出建议,以便董事会能够细心谨慎地考虑并形成决策。

临时性的专业委员会也是让董事们更深入地参与公司重大决策的有效方式,应当为这些临时委员会设定明确的日落条款(Sunset Clauses)②,以便它们不会成为陋习,不会成为令管理层烦恼的事情,或者导致排除全体董事会参与

---

① 杠杆式贷款收购(Leveraged Buyout),指收购者利用收购对象的价值抵押贷款获得收购资金,管理层收购(Management Buy-Out)通常采用这种方式。——译者注

② 日落条款(Sunset Clauses),也称自动消灭条款、届满条款,通常指某种任务、措施或规定达到预期效果或规定的时间届满后,自动终止或失效的形象比喻,其实质是对某些事情设定时间限制。这里指应明确规定临时性专业委员会任务完成后即应解散。——译者注

第五章

公司的重大决策。

最后,一个传统的专业委员会仍然存在于很多公司之中——执行委员会——应当以批判性眼光对其进行评判。几乎每一个董事会过去都有这样一个专业委员会,通常由公司董事会主席、首席执行官和少数其他有经验的董事组成。该委员会设立的基本原理是:如果董事会活动日程表中两次董事会会议之间出现了需要关注的重大事项,执行委员会有权处理这些问题,然后再将决策上报给全体董事会。现在一般认为设立执行委员会是无益的想法,因为这会导致在董事会中设立了"A"、"B"两个团队。在执行委员会中任职的董事处理公司的重要事务,其他董事则没有这样的权力。因此,正是这样的委员会存在可能引发董事会的分裂。幸运的是,技术发展已经使这类专业委员会成为累赘。当出现某些事件迫切需要董事会紧急行动时,可以使用能够快速召集全体董事参加的电话会议。

六、设计董事会的结构

这一章的讨论显示,如果董事会的结构设计适应公司的环境以及董事会所选择发挥的作用,则董事会最可能具有效率。尽管有一些被广泛承认的有关董事会结构的概括性原则,并且我们也基本上认可这些原则(小规模更好、独立性是实质、两种领导结构都能奏效、三个核心专业委员会),但各个董事会必须建立一些基本理念:创造所需要的别具特色的董事会结构。没有简单的规则可以指导完成这些任务,不过董事会可以问自己几个能够解释和明确事项

的关键问题:

> 如何在需要独立的董事和需要一个熟悉了解公司的董事会之间取得平衡?需要按怎样的比例组合独立董事、公司外部非独立董事和管理层董事的数目才能在保持董事会独立性的同时,保证董事会能够获得相关的信息并且足够了解公司?

> 什么样的董事会领导结构最能奏效——增进董事会的独立性并且作出所希望的行为——合二为一的公司董事会主席与首席执行官外加一名常务董事,或者是公司董事会主席与首席执行官分离?无论选择什么,可能出现哪些问题,应当制定哪些适当的程序处理这些潜在问题?

> 董事会需要哪些永久性的专业委员会?如何挑选这些委员会的主席和成员?董事们应当在什么时候以及如何利用临时性的专业委员会更圆满地解决一些紧迫问题?

假如一个董事会在其面临的环境和所希望发挥的作用范围内寻求问题的答案,可以设计出一个能改善其工作效率的结构。在一些实例中,因为对于最佳经验认识的不同使设计的思路可能不一样。然而,现在已经非常清楚,我们应当更多地关注董事会的结构设计是否能够鼓励董事会有效率行为的出现,而不是董事会是否严格遵守了最佳经验的标准。

董事会的作用

第六章 组建并保持有效率的团队

实在很难找到出色的董事。

——公司董事会主席

很难消除董事会业绩差的印象。

——独立董事

诚然,董事会的结构很重要并且是考虑董事会设计的起点。以我们的判断,董事们的才干和能力是决定董事会效率的最重要因素。能力出众的人——和适合完成董事会紧迫任务的人——即使在董事会的结构不甚理想的情况下也能取得良好的业绩,反之则肯定不能成立。即便有一个完美的结构,能力平平或专业知识与公司的要求不匹配的人,都会限制董事会的效率。在这一章,我们将考察如何组建有效率的团队以及组建之后如何保持其效率。

要提升一个通常的董事会成员的质量传统上是一个缓慢艰难的过程。即使现在,董事会出现新面孔,多半是因为

第六章

现有成员中有人退休或任期届满。冗员存在的常见原因是董事会清理不称职的成员非常困难。董事们很容易发现自己面对无所作为的同仁束手无策。作为长期的伙伴,要求他们离职难以启齿。此外,很少有董事会能有意识地向成员提供相关的教育和培训(或没有动力这样做)。所以,如果能够针对董事们的不足提供适当性质的培训,一些董事会成员通过模仿也能够胜任他们的角色。无须向董事们提供培训的假设是:每一位董事在加入董事会之前已经了解所有需要的信息,他们马上能够将这些知识应用于董事会会议的讨论。

优秀、能胜任的董事明显短缺,增加了提升董事会成员质量的困难。每个公司都需要这样为数不多的人,几乎总是那些有丰富管理经验的中年男性。每个公司似乎都想引进杰出的首席执行官或大公司的现任首席执行官。不过,简单计算便可得知:每一个首席执行官的职位就有超过10名董事会的席位;如果首席执行官是董事会人选的唯一人才库,董事人才短缺的状况将始终存在。

董事会怎样才能超越这些根深蒂固的思维模式扎根于实践呢?让我们全面审视董事的搜寻、提名和培养的全过程。[1] 简单地说,董事会——与经理、股东、金融分析师以及其他利益相关者一起——需要考虑不同类型的出色董事人选,以及这些候选人进入董事会后如何激励他们发挥潜能。挑选董事时尤其需要:

> **拓展人才库。**更多地考虑现任和前任首席执行官以外的群体。例如,放宽年龄和经验方面的要求,

组建并保持有效率的团队

增加一些较为年轻但富有经验的管理人员成为董事。

> **战略性的思考能力组合。** 尤其需要在公司所面临的挑战和一致认同的董事会作用范围内思考这一问题。将董事会监管公司特别需要的能力和经验组合在一起。

> **提高业绩标准。** 在董事会发展业绩评估文化。公司治理委员会或提名委员会应当对每一位再次获得提名的董事进行业绩评估,以保证他们符合董事会的业绩标准。这样的措施能够避免再次提名成为形式,并提供了解除不胜任董事职务的现实途径。

> **更新董事的观念与知识。** 定期对现有董事进行知识更新。通过展示公司变化中的环境,帮助他们与快速变化的环境同步发展。敦促他们努力学习并对公司业务保持激情。

> **理性的董事报酬。** 应当使董事们感到他们在工作中付出的努力确实具有价值,与此同时,培养董事们的职业操守而非贪欲。

表面看来,这些似乎是浅显的解决思路。但是,任何曾经在董事会工作过的人都知道,群体动力、历史和传统作为强有力的制约因素能够阻挠哪怕是最小的改革努力,更不必说涉及谁能进入董事会,如何将董事们组织起来,如何促使董事们有效率地工作等这样全局性的改革了。

现在让我们讨论上述每一个建议的细节。

第六章

一、拓展人才库

大多数时候,当董事们讨论适合担任董事的人选时,必定集中于首席执行官。讨论以往的管理经验是否能够使他们成为出色的董事。讨论他们在必须多注意倾听而不是自己主讲并且其观点并非必须受重视的环境中,是否会成为平庸无为的董事;讨论他们中的某些人在多大程度上因缺乏相关行业经验难以熟悉公司业务;讨论某些人会怎样超越董事的职责干预管理层的事务。

专业寻觅董事人选的猎头公司也提到,选择新董事的基本要求是首先假定现任或前任的首席执行官是最出色的董事。有人曾告诉我们:

> 作为委托人的董事会希望寻找的董事人选是正在或曾经为知名的大公司效力的首席执行官。精通技术以及具有跨国公司管理经验的背景将给他们锦上添花。而且,女性和杰出的少数族裔代表也会受到青睐。

我们认为,诸多有关理想的董事资格的讨论没有抓住重点。大多数首席执行官主张首席执行官能够成为最出色的董事,我们的调查中也得出这样的结论(参见附录,命题E-1)。大多数非执行董事则主张相反的观点。这是可以理解的——一名首席执行官清楚地知道他能够给董事会带来哪些贡献,但是,非首席执行官对董事会的贡献可能不容易确认或根本无法知晓。反之亦然。从各自的角度看,两种争议的观点都具有合理性,但他们正在争论错误的问题。

假如这个问题以另一种方式表述——例如,"你认为杰出的董事应当具备什么样的个人品质和才能?"我们也许在这个问题上有更多的共同点。一位董事先前的职业固然重要,但这是次要问题,而非争议的核心。简单地说,我们认为有关首席执行官与非首席执行官谁更适合出任董事的争议毫无意义。

基于这样的认识,我们建议董事会成员们首先要对董事必备的基本素质达成共识。我们相信六项基本素质是必需的。

> ➤ **才智**:未来的董事是否能够理解以前没有接触过的业务?他是否能够敏锐地察觉主导企业业绩发展的真正动因?我们说过,很多非常成功的管理人员并不能很好地理解一项全新的事业。他们只会简单重复过去解决问题的思路。董事会工作是高智力的脑力劳动——才智是基本的要求。

> ➤ **人际交往能力**:未来的董事是否能够融入群体?是否善于倾听?是否能够以挑战管理者与支持管理者这两种方式表达观点?曾经成功地经营过企业或有职业经验的人在这些方面也可能遇到困难。当年龄足以进入董事会时,他们已经习惯于表达自己的观点并期望其他人与自己完全保持一致。他们并不一定具备善于倾听并在同侪中"平等"协商达成共识的技巧。这是一个关键问题——出色的董事也是优秀的倾听者和有效的沟通者,并能和其

第六章

他董事会成员建立平等的同事关系。

- **直觉**：未来的董事是否具有敏锐的商业直觉和判断力？直觉与才智不是同一个概念。直觉是"挣钱"能力，是临场应变和精明的经商感觉。当需要进行战略和组织决策时，他是否能够判别何处能够创造价值？什么因素可能阻碍价值的实现？他是否能够很快抓住问题的核心？
- **兴趣**：未来的董事是否对公司、业务以及这里的人真正感兴趣？他是否愿意在必要时加倍投入精力？董事职位通常不能赚大钱，他是否对公司业务有足够的激情并多年保持积极投入的状态？
- **投入精力的承诺**：董事是否过于忙碌而无法认真完成任务？我们不赞同随意限制一名董事能够兼任的董事数量，因为即使对此作出限定，仍然有许多其他因素可以让他"过于忙碌"而无暇顾及分内事务。重要的问题是，他是否愿意——是否可能——满腔热忱地投入所需要的工作时间？
- **诚实正直**：董事们必须坦率和诚实。未来的董事在决策时愿意承担与其角色相关的职责吗？他是否愿意优先做对公司有利的事情，而将保住个人职位和名誉放在次要位置？

业绩不佳的董事会，其成员通常在以上几个方面有缺陷。太多的董事或许了解公司业务和相关风险时颇为费力，或者他们不善于通过讨论解决重要问题，也可能太忙而无法对公司的问题给予足够的关心。这些缺陷都与职业背景无关。我们知道一些现任首席执行官和前任首席执行官具有描述的这些优点,与此同时其他一些首席执行官却没有这些素质。同样,没有当过首席执行官的董事也可能具备或不具备这些素质。所以,公司治理委员会应该注重以这些特质来挑选董事,而非关注一名董事候选人是不是首席执行官。

说来奇怪,在我们的调查中,大多数首席执行官的回答认同董事会成员需要更多差异性的观点(参见附录,命题C-9)。但迄今为止,在首席执行官关注的基本问题中,有关董事会成员差异性的讨论经常像雷达屏幕上的一个亮点瞬息即逝。

二、战略性的思考能力组合

不是为了多样性而论证多样性。不如这样表述,我们希望董事的选拔程序能够发现具有不同专长和经验的董事人选以适应公司特定的需求。

必须首先决定董事会的作用,才能明确需要什么样的专长和经验。在第四章,我们阐述了董事会应当寻求发挥监督、决策和向管理层提供建议的综合作用。很明显,为董事会选择新成员应当反映这方面决策的需要。

为了更具体地讨论董事会应该怎样组成,我们假设正在考虑组建一家全球性的消费品公司董事会,该董事会自身的定位是认真地参与公司所面临的重大问题决策(领航员类型董事会)。

再假定我们需要十名董事——规模较小却足以保证工

第六章

作效率,同时也满足了董事会多种技能组合与董事会委员会(Board's Committee)成员组成的要求。当然,现实中我们不太可能有机会从零开始组建这样一个"理想的董事会"。但是,可以通过不时更新董事的方式充实董事会,这是真正使董事会面目一新的机会。为了使董事会日臻完善,董事们必须考虑两件事情:董事会发展所需要的技能和经验以及现有董事们所具有的技能和经验。二者比较后我们可以得出未来需要与现实存在的技能、经验方面的差距,并通过讨论使董事会在真正需要增加哪类董事人选方面达成共识。这里,以组建一个体育运动队作比喻再恰当不过了。最好的体育运动队并非最好的个体运动员简单加总。出色的教练不只是挑选最好的运动员:他们理解应当挑选最适合每个位置的运动员搭配成一支出色的队伍。

这个道理同样适用于董事会。不同的董事具有不同的技能,我们相信如果明确地选择和认可每个董事的技能并进行适当的组合,董事会将更有效率。我们理解认为董事之间具有可替换性的观念形成的历史原因(他们对每一件事情承担连带责任),但我们认为这种观念也使得他们在董事会的各方面工作中只是一个高明的业余管理者。在越来越复杂的商业世界中,传统的通才型人才不再是最佳的董事人选。

希望设计出高效率董事会的人必须认识到,他们需要具有不同能力的董事组成一个高效率的董事会。一些人通晓财务,一些人擅长市场营销,另一些人则熟悉在中国的经营管理。关键目标是围绕适合董事会的经验和技能组合需求挑选董事。但是,承认每个董事的优势并不意味着在特定领域不具备优势的董事放弃了他们相应的责任。这只是说,他们信赖在特定领域更有经验的董事同仁们的判断。所以,牢记这些基本原则,让我们考察"核心角色分配"的主要过程,思考董事会需要哪些方面的技能和经验组合。

我们从一个简单的选择开始。除非法律明确禁止,首席执行官必然进入董事会。[2] 即便不是董事会主席,他也应当是董事会成员,因为他掌握着董事会的日程以及向董事会提供的重要公司信息。此外,在第八章中我们会进一步指出,如果公司首席执行官和董事会彼此视为合伙人,他们就能建立最强大的合作关系。

然后我们需要寻找至少两至三名董事——他们的优势,坦率地说,是管理其他董事会成员并保证董事会合法运转。因为一些董事会的职责涉及复杂的会计、财务和法律规定,违反法律或行政法规的风险随时存在。而且,一些公司还面临着严重的环境风险或其他方面的风险。这些方面的重大错误会给公司包括董事们带来灾难性的后果。

所以每一个董事会至少应该有一至两名董事真正理解数字:精通财务报表和所有其他复杂的会计问题。他们乐于将学究式的专注应用于审计委员会的工作。在个人品质适当的条件下,一名前任或现任的财务总监(Chief Financial Officer)将是合适的人选。在美国,法律要求董事会的审计委员会中至少有一名成员是会计或财务专家。

我们还需要寻找一至两名具备其他领域重大风险管理经验的董事,引进相应的风险管理工具,因为这些重大风险

第六章

足以毁灭公司。例如,公司经营食品,产品面临着健康风险或是财务风险,因为作为一家全球性企业也面临着巨大的外汇兑换损失风险(事实上我们知道有些银行的董事会甚至没有一名具备实际管理经验的董事以应对当代复杂的金融市场风险——这是一个严重的错误)。理想的董事还应当具备深厚的业务运作经验。例如,他们或许管理过一家与本公司没有竞争关系的消费品企业的业务部门,或是一家跨国公司的财务会计负责人。

现在我们已经决定了三或四个董事职位。接着,要寻找有良好口碑的首席执行官出任董事,包括不久前退休的首席执行官或现任首席执行官。前面说过,我们不希望董事会过度吸纳首席执行官,但是一个董事会的确需要几名首席执行官。各个董事会都应当包括这样一些董事:他们知道需要领导一个组织、清晰表达组织的愿景、控制管理层变化、理解公司高层管理者的寂寞孤独、处理媒体和金融市场的相关难题等等。

寻找这样的首席执行官,具备消费者市场相关经验是我们这家公司理想的董事人选。公司的业务是全球性的,因此我们青睐具有跨国公司管理经验的首席执行官。作为一家上市公司,我们希望首席执行官有管理这类公司的相关经验,知道如何处理来自资本市场预期的压力。

然后我们需要一至两名其他董事会成员,他们不一定是首席执行官,但应当具有消费品方面的从业经验。合适的候选人最好有在大公司的主要部门任职高层管理人员的经历。[3]例如,假如我们是汽车生产企业,需要寻找熟悉汽车行业价值链的资深专家。适宜的候选人应该对整个行业的发展和演进具有浓厚的兴趣。假如是食品生产企业,我们需要寻找在食品零售、农产品加工或消费者市场开发方面具有先进经验的人选。如果董事人选具有这些特质,但也有某些潜在的利益冲突,我们应该接受这一事实,并且设计出适当程序进行内部控制保证他们诚实行事。正如我们先前所论证的那样,董事会必须考虑在"独立性"和"专业知识"之间取得平衡。

热心推动公司治理的积极分子和一些董事可能对我们的观点提出质疑,他们认为董事会未必需要熟悉公司相关业务或职能技巧的人员。很多公司高级管理人员也相信董事的业务专长不过是与管理层的业务专长重合(而且如果没有来自董事会的责难,管理层的日子可能更好过)。但是,我们认为一个出色的董事会必须能够向管理层提供有竞争性的专业建议,并能察觉公司面临的潜在威胁。只有具有相关行业经验的董事才能满足这样的要求。所以,我们需要一至两名对主要业务有丰富知识的外部董事。然而,也希望他们成为"全局性问题的思考者"(Big Picture Thinkers),不要插手公司日常管理事务,避免与高层经理人员之间产生冲突。

董事会还需要其他方面的专业技能——例如,管理职能、地理知识或顾客细分。如果公司准备大举进攻亚洲市场,董事会便需要一名曾经进军过亚洲市场的董事。如果公司准备进行大规模的技术投资,或打造消费者品牌,或增加研发投入,董事会就需要具有这方面经验的董事。如果

第六章

公司业务涉及大量的政府管制,董事会或许需要考虑由一名深刻理解政府管制过程的前行政官员或政治家出任董事。

目前为止,我们已经有了七八位董事候选人。还需要增加一位在制定公司战略方面有专长的董事。董事会的基本职责之一就是审议通过公司战略,完成这项任务需要有多个不同行业积累的经验技巧和判断能力。这就需要我们寻找一位在一个或数个大型跨国公司有丰富的战略管理经验的董事。

在一家消费品公司中,我们希望下一位董事人选应该是能够建设性地理解公司业务与社会多样化要求之间相互关系的企业领导者。公司业务需要具备合法性才能兴旺发达,忽略这一点公司就可能付出高昂的代价。最近的例子包括耐克(Nike)公司低薪雇用员工[1]、壳牌(Shell)公司在尼日利亚的经营活动受阻[2]、孟山都(Monsanto)生物技术公司的转基因玉米[3]和一些医药公司在非洲治疗艾滋病药

---

[1] 2000年,澳大利亚人权组织发表报告,称美国耐克(Nike)公司设在印度尼西亚的运动鞋制造厂以极低的薪金和加班费雇用当地员工,侵犯人权,由此引发一些地区抵制耐克产品的风潮。——译者注

[2] 英国与荷兰的壳牌(Shell)石油公司在尼日利亚开采石油的经营活动多次受阻。包括2000年8月当地武装分子绑架壳牌公司165名员工;2003年12月,壳牌公司在尼日利亚的一条输油管道破裂。大量漏油造成污染,当地村民要求赔偿,但双方谈判陷入僵局,村民采取关闭钻井平台方式进行报复。此外,因当地武装冲突,居民要求就业等矛盾多次造成壳牌公司输油管道被破坏,损失严重。——译者注

[3] 美国孟山都(Monsanto)生物技术公司,主要从事转基因农产品的研究与生产。因人们怀疑转基因食品的安全性,其开发的转基因玉米、水稻等产品获得销售与进口的正式许可颇费周折。——译者注

品的费用①。公司董事会以及管理层人员多数都来自同一所学校②——深刻理解社会基层大众的活动并非他们的强项。

　　为了寻找这样一位理想的董事人选,我们应该寻找一位既懂公司业务又熟悉公众生活的人出任董事。有多少董事切实感受了大多数消费者的生活方式呢?有多少董事真正理解一名收入低于全国人均水平的消费者面对公司的价格和服务变化会作何反应呢?有多少董事会定期去商店购买自己公司的产品呢?对更广泛的社会群体予以关注和同情是一名董事的优秀品质。

　　董事会已经聚集了足够的技能和经验吗?我们多半已经竭尽全力集合了所有类型的董事。没有董事会能够拥有使公司成功所需要的各方面专家——我们也不可能通过持续增加董事实现这一目的。但是,考察已经组建的这个董事会,我们看到了均衡的、多样化的董事经验和技能类型的清晰组合,与假定的这家公司及其董事会的需求相匹配。

　　组建一个"理想"的董事会并非随时可行。在世界一些地区,有经验的人才非常短缺。在这种情况下,我们的建议是:寻找具有相关技能和知识的董事,尽管较小规模的人才

----

① 非洲是艾滋病高发地区,但主要由欧美大型制药公司研制的抗艾滋病药品价格昂贵,许多非洲艾滋病患者因贫穷无力支付药费而等待死亡。联合国、WTO等国际组织呼吁这些医药公司降低抗艾滋病药品在非洲的售价,以拯救大量的贫困患者。——译者注

② 指一些大型跨国公司的董事及高级经理人员大多毕业于欧美著名的大学或商学院。他们通常出身于富裕家庭,对社会中下层的生活状况不甚了解。——译者注

第六章

库意味着董事会中可能只有少量的首席执行官,但可以包括更多的前政府官员、学术界人士和其他一些非商业背景的人士。在这类地区,最重要的是寻找精通业务并且诚实正直的会计和财务专家担任董事。发展中国家的上市公司需要付出很多努力,使国际投资者确信他们的董事会有能力发挥独立监督的作用。只有他们任命了信誉卓著的董事出任诸如审计委员会的委员这样的关键职位,才有可能让投资者信服。

大量关于董事会成员资格的讨论集中于性别、种族多样性的主题,由于董事会中的女性董事和少数族裔董事比例过低,所以,并不否认这些讨论也代表着我们自己的一些观点。讨论这些问题很重要。但我们也说过,要警惕象征性的表面文章。董事会的每一个席位都很重要;以最低限度的标准衡量,不具备前述六项基本素质的人员,不能进入董事会。

我们也相信所谓的女性和少数族裔群体中董事人才短缺的观点,是只有首席执行官和前首席执行官才是出色董事观念的逻辑推论结果——我们注意到2002年标准普尔500强公司的首席执行官中,99%是男性。[4] 但是已经解释过,我们不承认这样的假定。一个出色的董事会也可能考虑选择没有公司首席执行官任职背景的人为董事,因而,我们应当从女性和少数族裔已经获得成功的职业领域中寻找合适的董事人选。

综上所述,组建一个多样化并且高效率的董事会是完全可能的,不过,前提是公司必须拓展人才库以寻找能够满足需求的多种能力人才的组合。我们相信,经常提到的董事人选短缺更多地反映出董事会的提名委员会没有跳出现有的思维定势寻觅人才,而不是由于真正的人才短缺。

三、 提高业绩标准

一般情况下,董事一旦通过选举进入董事会,他们就能够一直工作到退休,或者在某些情况下,明显由于精神状态无法继续工作而尴尬下台。从本质上看,大多数董事会没有为董事们设定业绩标准。对董事会的调查显示,这种情况现在仍然非常普遍。极少有董事会要求董事辞职或者不支持董事被再度提名。[5] 我们的经验是:仅有个别董事会更换过不称职的董事,调查中首席执行官也同意这一论点(参见附录,命题E-5)。当我们在董事会工作时,往往听到抱怨说辞退一名不尽职的董事非常困难。没有人愿意批评一位长期合作的同事。如果一支橄榄球队也根据同样的原则运作,不难想象结果是什么。我们认为,董事会应当向球队学习管理,能力平庸的队员会被撤换,为了队员之间的能力合理配置,有时甚至表现出色的运动员也会被替换下场。

董事会业绩不佳可能受到几个因素的影响。尽管董事会比过去更加努力地工作,但并非所有的董事都能够或者愿意投入必须的努力。一些董事甚至不能对董事会的讨论作出任何贡献——他们或许没有相应的准备或者没有相应的能力。一些曾经作出重要贡献的董事也可能逐渐丧失工作兴趣或者变得过于繁忙,从而不能像以前那样投入工作。

无论什么原因,当一位董事的业绩成为问题时,董事会

第六章

显然应当提高业绩标准。向董事们提供长达十几年的安稳任期过于奢侈已不再被认为具有合理性。考虑到董事们并不喜欢被同侪评判,我们提供以下几个建议解决这个棘手的问题。

1. 董事再度提名时进行业绩评估

每一名经选举上任的董事,任期一般为两至三年,然后被再度提名才能连选连任。过去股东们对董事的再度提名和再次选举都是走过场,不过,我们现在相信再度提名应该是一个可以客观评估每一个董事业绩的良好时机。负责选拔董事的董事会专业委员会(公司治理委员会或提名委员会)应该承担这项任务。尽管最近5年以来这样的评估还很罕见,但这一理念作为董事会最佳经验的一部分正在获得越来越广泛的认可。人们曾经认为董事们凌驾于任何评估之上。例如,2003年英国的黑格斯报告指出,"超过四分之三的非执行董事和超过半数的董事会主席从未接受过任何正式的个人业绩评估。"[6] 无须评估的根本原因是:董事们只对股东负责,股东们可以在每年度的股东大会上评判董事会的表现。不过这个论调似是而非,因为股东不过是程序性地批准董事会提出的董事候选人名单而已。实质性问题是董事们不想互相评估。

在英语语系国家,接近半数的最成功公司现在对董事会进行某种类型的业绩评估,但在欧洲和亚洲公司中,这个问题还未引起足够的重视。[7] 上述情况似乎相当乐观,但事实是大部分评估仍旧集中于整个董事会的业绩,而不是评估董事的个人业绩。

2001年科恩/弗里(Korn/Ferry)一项针对美国董事的调查表明,只有19%的被访者接受过个人业绩评估,不过有71%的被访者认为他们应当接受评估。[8] 也许,这反映了董事会时代性的转变,董事们认识到他们的业绩也应当受到评估,任命一名新董事需要评估和反馈管理履历将成为永久性的惯例。对董事个人业绩进行评价以及对董事会的业绩进行评价的时代已经来临。

对获得再度提名的董事进行评估是向股东保证被再度提名的董事有出色的业绩。当由非执行董事们进行此类决策时,能力突出的董事仅仅因为冒犯了管理层就被更换的风险大大降低了。让董事们对自己团队负责,并向股东推荐董事候选人的制度是合理的。任何一位认为自己被不正当辞退的董事始终可以选择向公众披露有争议的事项。

我们相信对董事进行个人业绩评估的程序应当从其角逐再次提名时开始,因为他们会准备一份自我评估报告阐明他们对董事会的贡献。公司治理委员会随后应当决定他们是否认可这份自我评估,或者鉴别他们对董事的评估与董事的自我评估之间是否存在分歧。接着,公司治理委员会应当与董事会其他成员交换看法了解各方的观点是否一致。如果董事会对该董事的业绩存有异议,公司治理委员会必须决定是否推荐提名或反对再次提名,或者建议其依照其他董事们的意见修正其行为,直至达到同事们的期望后再度被提名。无论哪一种决定,公司治理委员会主席和董事会主席都有责任向该名董事提供适当的反馈意见。

第六章

谈及整个董事会业绩的评估,我们相信这绝对是对每个董事会的基本要求。为什么如此肯定呢?我们已经多次提及,董事会面临的主要问题是传统和惰性。解决这个问题的方式之一就是引进一种针对公司董事会成员以及公司高级经理们的工作进行评估的方法,考察董事会完成任务的方式以及董事会对其自身的作用、构成、程序和结构如何理解的全部感受。根据我们的经验,这样的评估是矫正董事会工作惰性的最好方法。

评估程序可以很简单,但结构应当清晰。一种评估方法是使用书面调查问卷。主要调查对象是公司董事、高级管理人员等与董事会工作密切相关的人员。可以由公司董事会主席、常务董事或公司治理委员会设计问卷并组织整个调查过程,但是一些董事会认为利用外部机构的力量进行评估更好。这类调查问卷通常不受版权保护可以无偿使用,而且种类丰富,不断被更新。

另一种评估方法是与董事和那些与董事会有工作关系的经理进行面谈。总结面谈的结果,然后将无争议的结论提交给董事会。可以由外部咨询公司负责面谈的组织与总结工作,也可以由常务董事、公司董事会主席或公司治理委员会完成这些工作。书面调查问卷的优点在于所调查的事项可以量化便于评估的结果进行比较,而面谈方法可以更深入地了解某些问题。当然,如果使用调查问卷并以面谈作为补充,可以兼得两种方法的优点。

这些程序不仅提供了有关董事会业绩的数据,还能确保任何涉及董事个人业绩的重大问题暴露出来——尽管是间接的。例如,如果一名董事经常不作准备、极少参加董事会讨论、出勤率低或没有提出过建设性的意见,在整个评估过程中就会成为董事会的一个缺陷暴露出来。尽管可能不会公开该董事的姓名,但几乎每个人都能确信他是谁。通过这种方式,"董事会的整体评估"为公司董事会主席、常务董事和公司治理委员会需要采取的措施提供了关键的"信息要点"。当行为不当的董事看到问卷结果时,他可能会意识到自己的问题,或者提高自己的职业素质,或是考虑在压力升级以前离开。

最后,我们不认为董事会的业绩每年都需要进行评估。每两年评估一次就足够了。董事会的成员并不经常见面,一年一次的评估会耗费董事们大量时间。可能上一年的评估刚刚结束,新一轮的评估又将开始。这会使人逐渐厌倦,将评估视为一个无穷无尽的过程,会损害评估的效率。尽管如此,出色的董事会仍然应当在董事会会议之后定期花一些时间讨论如何有效率地安排董事会会议、他们可以在哪些方面有所创新等。

2. 任期限制和退休年龄

解决董事业绩问题的传统方法是设定退休年龄限制。这些限制被一成不变地当作辞退不称职董事的间接的和最后的方法。显然,这不是迅速解决业绩问题的方法。这就是为什么赞成引进业绩评估程序的主要原因。

然而,我们认为退休年龄非常重要。董事会在敦促那些长期服务的董事离职时通常会采用拖延敷衍的做法,即

第六章

便那些需要离职的董事的业绩已经大不如前。"我们不愿伤害亲爱的老比尔。他已经 71 岁了，九年前从公司首席执行官的职位上退休。几乎成为组织的一部分。他在这个董事会的 13 年任期中经历了两任首席执行官。他的业绩的确大不如前了，但还没有足够的理由让他离开。"有关亲爱的老比尔的描述的确是事实，但是，显然只有让一名新董事替换他才能提高董事会的效率。

明确的退休政策可以确保董事会在董事的退休问题上有章可循，而且越来越多的人赞成 70 岁应当是董事的退休年龄。这并不意味着 70 岁退休比规定 65 岁或 75 岁退休更有道理——毕竟任何退休年龄都是主观的规定。有一些董事，70 多岁的高龄仍然精力充沛，能够对董事会工作做出积极的贡献，但也有很多更为年轻的董事却无甚建树。很多 70 岁的董事只是随大流而已。他们的管理背景已是十年或十五年以前的事了；他们的关系网已经萎缩；商业经验也逐渐过时。商业环境不断地变化，对董事会的要求越来越高，这些因素会严重制约董事的工作效率。

让高龄董事留任董事会的另一个问题是：他们占据了新董事的位置。我们认为，董事会需要年轻并且熟悉消费趋势以及科技发展变化的董事。

另一种可能性是董事会考虑"任期限制"，即限制董事们的任职不超过一定的任期。例如，经选举出任 3 年一届的董事不能超过 3 或 4 个任期。一些重要人物倡导减少董事们的任期数量；例如，黑格斯报告建议，非执行董事正常情况下只能连续担任两届三年任期的董事，在特殊情况下才可以延长任期。[9]

对于董事的任期限制我们有三项告诫：

第一，新上任的独立董事需要一定的时间才能熟悉公司情况。过短的任期可能使他们刚了解情况后就不得不离开公司。请记住大多数董事一年中只有 2～4 周时间用于公司的工作——这意味着两届任期 6 年之后，他们用于董事会工作时间的总和也不会超过 12～24 周。

第二，任期限制可能被作为不需要对个别董事进行业绩评估的借口。例如，"我们不用担心比尔的糟糕业绩，反正任期届满他就会自动离开公司"。

第三，仍然为公司做出重要贡献的董事可能因任期已满被迫离开公司，这样做毫无道理。

很多在同一个董事会连续工作 10 年以上的董事，年龄 50 多岁或 60 岁出头，仍然对工作"充满激情"。公司首席执行官和其他董事们告诉我们这是常见的情况，我们自己也见过很多类似的例子。如果没有任期限制以保留优秀的董事，则必须采用严谨的董事个人业绩评估予以配合。而且，随着任期的增加，尤其连续 3 个任期以后，业绩标准应该相应提高。例如，一家全球性的专业服务企业的首席执行官被合伙人推选为任期 3 年的董事。他可以连任第二届甚至第三届，但每次再选举时支持合伙人比例必须高于上一届。同样道理，我们认为谋求连任第三届任期或更长任期的董事应该展现更多的价值，而不是他们并没有出现严重的问题。

谨慎地注入新鲜血液能够提升董事会的业绩，因此，董

第六章

事会(通过其公司治理委员会)必须证明留任一位现有董事比吸纳一名新董事更有价值。现在大多数董事会的问题在于：长期在位的董事因具有所有的优势很容易留任，而引进新面孔却过于困难。运用有效的业绩评估和"软性"任期限制后——多数董事们会明白只有业绩突出的董事才能留任10年或更久——这种情况就能得到扭转。

最后一点，如果董事会已经多年没有变动或无人离任，而且也没有变化的预兆，我们相信，一般情况下要求某位董事离职为新董事腾出空间是合理的。董事会需要定期注入新血液，接受新观念。一成不变的董事会，其成员将一起老化，逐渐失去效率。所以，不论是否有退休年龄或任期的限制，如果董事会的成员已经多年固定不变，唯有变革才是动力。

四、更新董事的观念与知识

被推选出来的董事们利用自己以往成功经历所积累起来的经验和智慧为公司服务，不言自明的假设便是他们已经了解所有应当知道的信息。其实他们很容易陷入日常例行工作中而无法自拔。阅读下发的董事会文件；两个会议同时召开时间上有冲突时，则平均分配时间各参加一半的会议；每位董事开会时的座位都几乎是固定的。这样的环境下，有激情的董事也会逐渐厌倦。我们不可能指望这样的董事能够适应对公司有深刻影响的变化中的环境。然而，除了为新董事进行简短的欢迎仪式和公司情况介绍外，极少有董事会为董事提供新知识的培训机会。在当代快速变化的商业社会里,这等同于丧失了促使董事会提升业绩的机会。(为那些不太熟悉公司或行业情况的独立董事们提供培训,也是相关的挑战,我们将在第七章中对这一问题进行更充分的讨论。)

1. 询问董事自己对于"持续教育"的想法

更新董事会的观念和知识的方式之一是:每年询问各个董事,确认他们希望获得哪些方面的适当培训以增进自己的工作能力。这种培训可以是自愿参加,但应当与董事会主席或公司治理委员会领导磋商后达成一致意见——原因在于,这是正当合理的公司费用支出。培训类型可以包括:

- 如果公司采用股东价值评估公司业绩和投资建议,让董事们参加一个关于股东价值评估技术的研讨会。
- 电脑和英特网使用技巧培训,以便董事们可以通过电子邮件接收董事会的材料,查阅相关数据库。
- 参加探索性的研讨会,研究新的制度规定对董事会以及专业委员会的影响及其后果〔例如,美国的萨班斯—奥克斯莱(Sarbanes-Oxley)法案〕。
- 为董事们参加行业博览会和贸易洽谈会提供旅行资助,使董事们能够维护有价值的人际网络,更充分地了解顾客和竞争者的情况。
- 资助董事与公司高级管理人员一道参观董事会"最佳经验标杆"的公司。

第六章

2. 安排"实地考察",让董事近距离了解公司

我们还认为,每一个董事会应当每年安排一次旅行,让董事们走访公司一些较偏远的业务单位以及主要客户。这样的拜访是学习大量新知识的好机会。很明显,董事们除了接触员工和客户外,花一些时间与公司高层管理人员及其他董事一起旅行也获益良多。闲聊、随意的晚餐和小酌,都让董事们和管理层之间有了严肃讨论以外相互了解的机会。

3. 运用其他方式培育董事的职业素质

最后,尽管越来越多的公司为新董事准备了正规的就职培训项目,但这些项目大多因新董事进入董事会的时间不同而难以为继。一些董事曾经告诉我们,就职时提供的公司情况介绍对他们极有价值,他们很愿意有机会继续以这种方式学习。我们认为如果让董事们有一段时间接受这种不断更新的专业培训,董事会将更有效率。每一个董事每年用一到两天时间到公司下面的某个事业部或业务单位与高层管理人员交谈。这样的交谈可以产生整个董事会集体拜访达不到的效果。

高质量的就职培训与不断更新的学习体验能够使董事们充分了解公司,这是参加多年的董事会会议也无法取得的成果。大量接触公司高管人员、视察主要业务单位和拜访关键客户,能够增加董事们理解公司业绩驱动要素的能力,增加董事对管理层群体的了解——这是更有效率为董

事会服务的基础。

五、理性的董事报酬

董事的报酬是影响董事会业绩的重要因素吗？有人认为，这是吸引最佳董事人选的关键因素。另一些人则探讨报酬对董事完成任务方式的影响。如果董事们在专业期刊杂志上的相关讨论有任何指导意义，这个问题当然重要。但实际上，我们并不同意关于这个问题的大部分看法，并且相信董事报酬的重要性被夸大了。

让我们从本质问题谈起。广为流行的观点认为每一个董事会必须在董事报酬方面作出两个重大决定——报酬水平以及报酬如何支付。书面文献中极少谈及第一个问题；大多数董事会只是按照咨询顾问调查的报酬水平照样发给董事。第二个问题则充满争议。是否记得我们在第三章曾经讨论过董事与股东利益同盟的重要性？假设出任董事的动机是收入，所以让董事们的报酬和风险挂钩是保证他们有效率工作的最好激励方式。而且，如果用股票或期权作为报酬，他们将更关注股东价值。我们怎么看待这两个问题呢？

1. 报酬水平？

没有一个简单的对错答案判别某一职业的具体报酬水平应该是多少。报酬应当是多种因素的综合反映，包括市场利率、公司利润率和人们自身的贡献。我们也不能指望董事们自己定出适当的报酬水平。此外，董事会的报酬水

第六章

平还有自己的微妙之处。在同一个董事会任职的董事,无论其业绩和贡献如何,报酬相同。声誉一点也不能在金钱上体现出来。如果一名像杰克·韦尔奇这样的首席执行官加入你的董事会,他的报酬也不过和你们一样而已。还有,在大公司任职的董事用在董事会工作上的时间通常少于他们在小公司任职的董事同侪,但他们几乎总是获得更高的报酬。在一些行业,例如美国的软件生产商,尽管没有证据显示董事们更为出色,但他们的报酬通常高于其他行业。与此类似,不同国家的董事会薪酬水平有很大区别。很难发现这些现实情况之间有确定的逻辑联系——这意味着即使这个问题比自然科学还神秘,我们也不必过于诧异。

董事会通常依靠雇用咨询顾问调查其他公司的报酬水平解决这个问题,也采用同样的方法确定公司首席执行官的薪酬。董事的报酬水平持续升高,很简单,因为所有董事都希望报酬在调查中处于中上水平。董事们在不同的公司必须投入的工作时间差异被忽略了。当然,没有人关心董事会业绩的差异,董事们的法律和声誉风险也没有计算在内。董事的报酬水平完全取决于调查!

除了调查之外,如果没有任何合理的基础确定董事们的报酬水平,董事们很容易被指责为贪婪。董事会的合法性——设定他们的基本任务是保护股东和其他人的利益——将受到威胁,如果社会流行的观念认为董事们已经完全被金钱所吞噬。这是非常现实的风险。许多人相信董事会已经对经理层的薪酬失去控制,认为董事的报酬同样失去控制的观点已经为时不远了。[10]

因此,董事确保自身的报酬水平公平合理非常重要。然而,什么样的报酬水平属于合理,什么样的水平又算贪婪很大程度上是主观判断问题,并且主要受董事会所处的地理区域的影响。不过,董事会可以不单纯依靠对同类公司的调查而在董事报酬方面做得更好。每个董事会都需要制定一套与董事会的任务和业绩评估挂钩的报酬体系。

只有在董事会认真讨论过他们的定位后,才能确定董事的合理报酬。报酬水平应该反映董事们必须投入其工作职责的时间。报酬水平还应当反映董事参与增加企业价值活动的程度,例如提高制定业务战略的能力,为公司带来有价值的关系网等,相反的情况则是只专注于发挥监督者的作用。如果董事会对公司发展的贡献很小或董事们发挥的作用非常有限,很难证明为什么董事可以获得高薪。

一个曾经讨论过这个话题的董事会认为,董事应该被视为"自由职业者",实际上他们是在为自己的"个人"专业公司服务。这个董事会提出的问题是:为董事们支付的合理报酬率是多少?第一步是计算董事会成员每个有效工作日的报酬率——用年报酬数量除以估计投入到董事会的工作日数量。然后用这个日报酬率与一个职业咨询师或咨询顾问的日报酬率相比较,在这个基础上评估董事们的报酬是否合理。黑格斯报告提出了一个类似的建议:一名非执行董事的报酬应当与公司聘请的高级专业咨询顾问的报酬相当。[11]

例如,咨询师威廉·M.默瑟(William M. Mercer)的研究表明,2000年美国公司的董事年平均报酬大约为11

第六章

万美元。[12] 根据不同的调查结果推算,平均每名美国董事每年用于董事会工作的时间大约是 100 个小时,如果包括旅途时间则大约为 150 个小时。[13] 如果将旅途时间也看作董事工作的组成部分,这个报酬水平相当于每个美国董事平均 700 美元/小时或大约 6000 美元/天。在美国高级专业咨询顾问市场中,这个报酬水平是低、合理还是过高呢?显然,这是仁者见仁、智者见智的问题,但我们的基本点是强调董事的收入应该在一个可比的市场条件下,参照他们的工作努力程度确定其报酬水平。

有关董事报酬的数量还有最后一个问题。董事退休计划在美国已被当作烫手山芋放弃了,在英国和澳大利亚也有越来越多的机构反对董事退休计划。截至 2002 年,多项报告指出,在美国标准普尔 500 强公司里只有 3% 的公司提供了董事退休计划,而在十年前,几乎所有公司都有董事退休计划。[14] 董事退休计划现在被视为增加"额外福利"而与公司业绩无关。我们并不反对这种意见,尽管我们倾向于认为董事退休计划是另外一种简单的董事报酬形式,虽然是一种不太透明的支付方式。退休计划可能是董事们一大笔隐性的报酬。如果有必要提高董事们的报酬水平,放弃董事退休计划是董事报酬方式更加透明合理的开端。

2. 如何支付?

关于如何支付董事报酬问题,董事会最佳经验更多的以流行做法为基础,而不是依据实证研究的结果。就在几年以前,公司治理专家告诉我们应当向董事们支付现金报酬。这样可以减少潜在的利益冲突。现金支付报酬可以让董事们在短期和长期内都基于大股东和小股东的利益行事。董事会最佳经验在过去 5 年中有了 180 度的大转变——有效的公司治理需要将董事们的切身利益和公司密切联系起来,因此董事们的绝大部分报酬应当与风险挂钩、与股票挂钩。

考虑美国公司治理专家的这些看法:

> 风险不能只由投资者个人、机构和小股东承担。董事也应该分担这些风险。[15]
>
> 这是合乎假设的激励方式。股票升值,董事和股东都受益;股票跌价,董事和股东都受到损失,董事有让股票价格上升的积极性。[16]

趋势很明显——董事应该持有相当数量的公司股票;董事们的大部分报酬应该以股票形式支付(报酬因而与风险相关),期权也是不错的形式。这些观念在美国已成为现实,超过半数的美国董事现在的报酬完全以股票或期权形式支付;几乎所有的公司至少以股票形式支付其董事的部分报酬;超过半数的公司向董事提供期权。[17]这种趋势在全球其他地方也愈演愈烈。在英国和澳大利亚,部分董事反对这种做法,但以股票支付董事报酬的方式正得到越来越多的支持。

正如第三章中所指出的,我们对现代公司治理中董事和股东财务联盟的重要性产生了怀疑。我们的经验是,董

第六章

事们努力工作的热情和效果与其报酬的水平和支付形式并无太多关联。我们在很多董事会工作过,却不曾看到实践中这种利益联盟有多重要。实际上,经常看到同一个人在不同的公司董事会任职所获取的报酬形式和水平迥异。他们对董事工作的勤勉和动力却显然没有受到报酬差异的影响。我们以前说过,研究结果也支持这个看法。董事们指出,报酬不是他们为董事会工作的重要原因。[18] 相反,他们在董事会工作的主要目的是学习。

研究文献还告诉我们,激励性的报酬应该与可控制的因素挂钩,董事会的业绩和质量只是影响股票价格的众多因素之一。最近的公司管理层薪酬计划意识到了这一点,承认薪酬与股票价格变动直接挂钩并不明智。如果保持这种关系,无论公司管理层和董事们是否努力工作或是否足够聪明,牛市上涨的股票价格趋势都会让他们迅速暴富。

问题还有另一面:如果董事们的报酬全部或大部分都与风险和股票挂钩,只有富裕阶层的人才有可能在董事会任职。其他人可能无力承受先期投资或放弃现金收入。如果寻求董事会经验构成多样化,这个问题可能会比较突出。

我们并没有从道德层面反对董事的期权(像一些法律学家那样),但我们相信,这样的激励应当以管理层为对象,董事会的任务是设计激励方式。[19] 如果公司董事和管理层有相同的激励,他们将立即被指控故意操纵管理层的经营目标使自己从中牟利。另一方面,我们认为没有理由不让董事们分享公司新创造的财富。为了解释我们试图建立的基本原则,以一个董事会为例说明董事期权计划的设计,这个董事期权计划和管理层的期权计划大有不同。

管理层的期权是弹性目标——只有公司业绩高于同行业竞争对手时,他们才能获得期权,并且期权的协议价格高于股票现价。然而,对于董事而言,期权不过是公司当前业绩的回报。如果公司达到同行业的相关利润目标,董事就能获得一定数量的期权。董事的期权执行价格可能就是股票现价,但必须在离开该董事会一年以后才能行使权力。换言之,如果股票价格下跌,董事退休后期权将变得没有价值,所以,董事们完全有理由在公司状况很好时离开在公司。

总之,我们认为,为了象征性地拥有公司所有权,董事应当持有部分股票,但持有过多的股票并无益处。过分强调金钱的重要性让董事们的工作动力受到非议,使得一些杰出董事的成就黯然失色,还导致董事们难以对管理层的薪酬方案保持客观立场。

我们调查中接触到的首席执行官们也认可以股票形式支付董事报酬。尽管不同的国家存在差异,很多公司首席执行官,即便是美国公司的首席执行官,也不相信要求董事们拥有大量的股票就能够将董事的报酬与风险挂钩(表6-1)。

伴随着安然公司的崩溃——以及随之而来的其他公司一系列问题——由于担心董事们过于关注股票价格,有更多的动机浮夸业绩预测、在会计数字上玩花样并且操纵公司运营,我们可以看到有关董事报酬的观点发生了变化。一些评论家感到,在美国公司首席执行官中出现的对股票期权薪酬计划的态度已经蔓延到董事会。也许,世事轮回,以往的传统信条将再度被广为接受——即保留向董事支付

第六章

现金报酬能够保证董事们最专注于自己的职责。不过,我们认为,像董事会的其他方面设计一样,董事会应该为董事们设计出最适合公司实际情况的报酬计划。

表6-1 首席执行官们不赞成"财务联盟"的论断

命题	首席执行官同意命题的百分比,按区域划分		
	北美	欧洲	亚太地区
外部董事应当被要求持有对他们有重要意义的一定数量的公司股票(C-5)	52	27	40
外部董事的报酬以股票或期权的形式支付会有极大的风险(C-6)	41	17	34

注释:首席执行官们对命题的打分从1(完全不同意)到5(完全同意)共5个级别。

在这个分析中,1和2表示"不同意",4和5表示"同意"。

资料来源:波士顿咨询公司、哈佛商学院"全球132名首席执行官调查2001"

在这一章,我们描述了如何选拔和激励具备适宜技能和知识的人选组成董事团队的设计要素。在第七章,将讨论信息及其利用的问题。如果没有完全了解公司的业务模式及业绩增长因素,董事会不可能有效率。

第七章　积累并灵活运用知识

> 我们得到了数量庞大的信息,但想知道企业实际运作状况仍然困难重重。
>
> ——公司董事

> 我们不得不重复做一些事情。他们忘记了以往的会议上我们曾经告诉过什么。
>
> ——公司高级管理人员

> 董事会似乎总是最后一个知道真相,尽管行业中的"猎犬"已经对着公司狂吠一段时间了。
>
> ——投资分析家

致力于不断增加对公司了解的董事会——我们发现很多董事会已经开始这样做——将会发现在以下四个领域尝试改革将非常有益,我们首先描述董事会的四项举措,并在本章后面展开详细的讨论(毫无疑问,你将发现其中的

第七章

一些观点在全书的很多地方被反复强调)。它们是：

更有效地利用董事们的时间：太多的董事会会议都是"展示和介绍"一些琐事，而不是董事之间和董事与管理层之间深入探讨公司重大问题。这些会议把太多的时间用在并不重要的事务性问题上，而非重大战略问题。董事会倾向于高度关注现状和最近发生的问题，而不是未来的挑战和机遇。这就是为什么董事会会议需要进行全局性的彻底改革，包括内容和形式的改革。最重要的是，为什么董事们的时间只能用于参加董事会会议呢？太多的董事除了坐在董事会会议室开会外，从未以任何其他方式了解公司的运作情况。他们很容易与公司现状隔绝。只能通过管理层提供的信息了解公司状况。他们应该从公司内部和外部拓宽接触公司的渠道，以便获得必要的信息以增进对公司的了解。

更多的从战略层面考虑"信息"的价值：大多数董事会接收了大量的信息——或更准确地说，他们收到大量文件或电子邮件——但是很难辨别哪些是真正重要的信息。因为获得的材料大多不容易记忆或未经过编辑整理，因而很多董事忘记大量内容也毫不奇怪。董事们真正需要的是事关重大问题的信息，是确保他们理解决定公司业绩和主要风险的关键信息。董事会还应借助最新的电脑技术持续不断地获得信息。在21世纪，董事会不应坐等公司管理层提供信息；他们应该能够运用电子信息化手段获得绝大部分所需要的信息。

鼓励董事们专注于某一领域：第三章曾经指出，基于某些原因，董事通常自认为是通才，这使得他们处于非常不利的地位，因为学无止境，知识太多而学习的时间永远不够。董事们不可能知道所有需要了解的知识。面对这些困难，董事们更需要合理分工，争取更出色地完成任务。

设计有效的程序监控公司业绩：大多数公司董事会设立了审计委员会和薪酬委员会，这些专业委员会已经设计了解决传统的审计和薪酬问题的程序，但他们仍然需要设计精良的程序以从事战略的制定与评估、高层管理人员的评估与任免等方面的活动——这些活动是董事会的核心任务。有效率的董事会必须深入思考如何从事这些活动，并确信他们能够完善所需要的知识结构来完成这些任务。

所有这些改进都不牵涉艰深的科学技术。董事会积累和运用知识的步骤是相当简明易懂的。然而，由于董事会一般都很忙碌，他们难得停顿下来探究忙碌的原因，并考虑如何利用现有的措施提高工作效率。

一、在有限的时间内完成最多的工作

我们已经强调过，董事们，尤其是非执行董事们，是兼职为董事会服务。但是，他们又需要花费时间了解公司情

第七章

况并运用相关知识为董事会服务。下面是解决这个难题的一些想法。

1. 让董事会会议创造更多的价值

董事们在董事会会议上花费的时间是董事们为履行职责而投入的最有价值的时间。在董事会会议上，全体董事聚集在一起，互相就各自的观点进行交锋辩论，达成共识后传达给管理层付诸实施。董事会会议的确是董事们了解公司和进行决策的最主要场合。企业要做的第一件事，就是通盘考虑多长时间召开一次董事会议、每次会期应当持续多少时间以及会议日程的具体安排。

董事会需对这些问题进行深入研究，多种迹象显示董事会议的频率与每次会的长短对于会议的成功具有重要意义。世界各地公司董事会会议的频率与会期持续时间大相径庭，但这和公司业务的复杂性无关。相反，历史传统和公司运营习惯似乎更能解释实践中的差异性。英国和澳大利亚公司的董事会传统上几乎每个月都要召集会议。美国公司的董事会会议频率稍低，大约平均每年7次左右，但甚至在同一个行业内实际情况也有很大区别。[1] 德国公司的监事会平均每年5次会议，瑞士和法国公司的董事会平均每年大约6次会议，荷兰和瑞典公司的董事会平均每年大约8次会议，意大利的公司董事会平均每年10次会议。[2] 根据以往的传统来看，大部分地区的董事会会议都相当简短，每次通常占用半天左右的时间。

现在，世界各国的公司董事会会议有趋向于每年大约

8次的迹象。史宾沙管理咨询公司2002年的调查认定美国公司的董事会每年平均大约是7.5次会议,海德瑞克和斯塔格斯(Heiderick & Struggles)2003年欧洲公司董事会调查确认每年平均大约是8次会议。[3] 换言之,大西洋两岸的公司董事会现在是每年平均8次常规会议。澳大利亚公司董事会有频繁召开董事会会议的传统,也开始将每月一次的会议压缩,一些大公司把董事会会议固定在每年7～9次之间。[4] 至少从统计数字上看,这种趋于一致的现象在继续,因此有必要讨论这个结果是否有逻辑支持。

这种平均数的出现很有意思,它实际上可能掩盖了真正重要的问题:每年董事会会议次数以及会期持续时间的正确数字是多少?这取决于公司的规模、复杂性以及董事们对其作用的定义。我们在第四章已经讨论过,董事会对其自身的作用可以有不同立场。一些董事会希望成为监督者并将管理权力更多地委托给管理层,与此同时,另一些董事会,出于不同的原因,希望更多地介入公司管理事务。即便董事会发挥相似的作用,公司越复杂或处境不佳,董事们需要投入的工作时间也会越多。

虽然我们期望看到不同的董事会实际运作情况有显著差别——但愿他们这样做是认真考虑了其自身作用的结果,而不是盲目遵循惯例——我们还是能从中发现一些普遍性规律作为董事会设计的最佳起点。根据经验,每月一次例行会议可能导致董事会陷入日常事务性工作,只关注那些并无重大意义的每月运营情况细节。而且,例会可能

第七章

董事会的作用

会占用管理层和董事们的大量时间。另一方面,实践中,指望董事会每年仅仅召开4～5次半天的会议就能有效监控一个大型的复杂公司也明显不现实。一名董事怎么可能在如此有限的时间内了解公司哪怕是最基本的情况呢?对大多数公司董事会而言,每年6到9次会议是必要的,这可以让董事们相互接触,熟悉公司情况。因此,每年平均召开8次公司董事会会议成为普遍现象是有根据的。当然,遇到特殊情况,如重大收购事件或公司首席执行官患病时,也可以增加特别会议或电话紧急会议。越来越多的董事意识到每年召开一次为期几天的会议(通常是两天)具有重要意义,这样的会议经常用于讨论深层次的战略问题。

应当强调,我们关注的不仅仅是董事会会议的次数。我们经常发现,将所有的董事召集到一起后,每一次安排的董事会会议时间却过于吝啬。这样的时间安排大多是基于传统的习惯而非认真的规划。增加董事会会议的次数颇为困难,因为经常需要董事们额外的旅行或打乱董事们的其他活动安排。很明显,比较容易的解决方法是:给董事们一份安排紧凑的会议日程表,将每一次董事会会议的时间延长一两个小时,而不是安排更多的会议。一两个小时似乎时间并不多,但考虑这种情况——一个4至5个小时的会议延长一个小时,就等于给董事会增加了20%～25%的集体活动时间。这并不是微不足道的。

对很多公司而言,每年6到9次全天的董事会会议是必要的。一些更大型和复杂的公司董事会,将每一次会议的时间(包括分配给专业委员会的会议时间)延长到第二天。董事会也开始尝试不同的会议安排。一家在世界七大洲都有业务的银行,将每年12次的董事会会议压缩为8次,但每次持续将近两天。第一天上午主要用于讨论董事会专业委员会的工作,当天下午和第二天早上则是董事会会议。每次会议都安排介绍银行某些方面业务的专项议程,目的是让董事们更充分地了解公司比较复杂的业务,而不是制定任何决策。通常在第一天会议的晚上还举行晚宴,邀请员工、客户或其他行业人士出席。

不论会议如何安排,下一个重要的问题是会议日程。我们曾经提到:董事们经常提到他们几乎没有时间讨论公司的战略性问题。我们很快将论及董事会应该怎样参与战略制定流程,但最典型的董事会会议日程却排满了评议最近发生的情况、日常性事务或需要批准的紧急事项。所以,董事们强烈地抱怨他们没有足够的机会超越公司的现状和过去来考虑公司的未来。

解决这个问题的简单办法是,每一次董事会会议至少留下一半时间关注这两件事:

- 影响公司未来的重大事件
- 和公司的核心高层管理人员讨论(不仅仅是介绍)公司主营业务面临的重大问题

为了确定这些重大事件或问题,每年年初时,公司首席执行官和董事会应当一起商讨确定未来5~10年间可能影

第七章

响公司成功的 5 到 10 个关键问题。董事会应当坚持这样做，从公司每年未实现的战略目标中发现问题。随后将这些问题安排在当年的董事会会议日程中进行讨论。公司管理层可以提前将事先准备好的讨论文件送交给董事们，以便在董事会会议上分配适当的时间进行讨论。通常情况下，如果没有紧急事件引起董事会的注意，下述重要问题也许不会列入董事会会议的讨论日程。这些问题可能包括：公司未来的业务增长点、公司如何吸引和培训人才、资产收购后的评估、竞争者战略分析、产品研发情况、未来业务赢利模式组合、公司品牌影响力等等。

　　除非董事会已经断定介入公司业务单位的管理活动并不是他们的任务，否则，董事会会议日程就应该安排充分讨论公司的每一项主营业务。在很多董事会，由于会议超时或分配的讨论时间不够，没有问题的业务往往在会议中被一笔带过。

　　当这种情况出现时，在董事会会议门外等候的准备讨论这些业务的高级经理人员便被告知，他们原定的 40 分钟极为重要的主题发言时间被压缩为 20 分钟。高级经理人员知道他们不能超时，因为一些董事需要赶飞机，他们被迫压缩和减少原本希望在董事会会议上进行讨论的内容。这会妨碍对重要问题的充分讨论并降低决策质量，打击管理层提出问题的积极性。这也是不尊重经理人员的表现。根据我们的经验，这些问题的出现，通常是由于公司董事会主席或负责安排董事会会议日程的人试图安排过多的议题所致。

积累并灵活运用知识

谈及这一点，我们强烈地感觉到，当要求一位经理介绍其主管的业务情况时，应当保证至少有一个小时左右的时间，而非30分钟。多数董事会的一个重大缺陷便是：董事们除了与公司首席执行官交流外，极少与管理层其他成员进行非正式的充分讨论。如果董事真正希望了解公司，他们必须用相当的时间和主管某项业务的经理们讨论相关的重要问题。

一个很好的方法是安排公司的主营业务年度评议，以便每一位高级管理人员至少获得一次机会在董事会会议上讨论其关心的问题。同样，为了节省会议时间，董事会应该预先阅读介绍材料，只需利用会议开始的几分钟就可以回答任何需要阐明的问题。然后——现在这种情况几乎不会发生——可以利用一个小时或更多的时间与主管某项业务的公司高级管理人员讨论相关业务问题。董事们从这种互动过程中能够学到很多业务知识，管理层也能够从董事们的建议中受到启发。

我们希望看到无处不在的幻灯片陈述能够少一些，因为这些管理层仔细演练过的陈述占用了董事会原本可以真正用于讨论的时间，也不利于董事会评估管理层运营业务的实际才能。一位非执行董事用"幻灯片恐惧症"向我们描述他们的董事会会议是如何安排的。大多数董事会迫切需要与公司重要管理人员和其他管理成员进行更多的非正式交流。依我们在董事会工作的经验看：很明显，这类讨论——提问—回答式的双向探索问题模式——很少被采用。不止一

第七章

位董事提出,"我们把大部分时间花在彬彬有礼地倾听管理层的陈述上,几乎没有时间讨论公司的战略性问题"。

　　明智的董事会会议日程设计者将最重要的议题安排为会议开始后的第一项议程,以保证有充分的时间进行讨论。如果会议接近尾声而时间不够用,被"压缩"的议程一般也是不太重要的常规性事务报告。变动讨论的次序也是一个好主意,这样可以保证同样的议题不会每次都被压缩。一些董事会为了获得更多的讨论时间,将会议分为两个半天。上半天用于介绍公司业绩情况和董事会需要采取的特殊措施;下半天用来与公司管理层进行非正式的讨论,关注一些重要但不太紧迫的议题。这种方法的优点是预留了董事会与管理层深入讨论问题的珍贵时间。不允许其他事情阻碍这样的互动性讨论。

2. 让董事们走出会议室

　　我们认为,大部分董事约 90% 的时间都耗费在独自阅读董事会的报告、和其他同事一起在董事会会议室阅读这些报告或几位董事之间偶尔进行交谈。对大多数董事而言,几乎没有时间用于和公司的中低层经理人员交流、拜访工厂或重要客户或与行业专家讨论公司的竞争者及海外发展趋势。

　　然而,不争的事实是几乎每次公司遇到危机,行业专家总是在董事会之前发现征兆。董事会经常是最后才知晓公司陷入困境。这就是为什么我们认为董事们应当定期和管理层接触,并不定期(至少偶尔)与行业分析师及其他专家会面的原因（很多董事告诉我们，他们在与管理层不经意的交谈中知道了很多公司的情况——通常是在就餐时或参观公司设施的旅途中——这些知识是他们在董事会会议室中学不到的）。董事们应当探讨公司外部的见解——来自行业专家的评论——警告，因为不知道行业内正在议论哪些问题是极大的错误。偶尔邀请这些专家到董事会上发表见解，倾听想法是个不错的主意。

　　董事们与管理层对话时通常应当遵循一条基本准则。大多数首席执行官希望知道什么时候进行这样的对话，这也是合理的要求。董事会和管理层的接触不应当削弱公司首席执行官与下属的关系。请遵循这样的告诫：我们确信让董事们与公司高级经理人员在管理一线讨论公司业务问题，而不是在董事会会议室内将更有效率。在调查中，首席执行官们并不完全同意我们的观点，他们对于董事们走出会议室的心态是喜忧参半（参见附录，命题C-3）。赞同董事们应当用更多的时间与公司雇员、客户、供应商交流的人、反对的人和不确定的人几乎各占三分之一。这个结果并不奇怪，因为公司首席执行官们可能感到董事们四处打听公司运营情况或拜访客户可能使他们原本忙碌的工作更加复杂。尽管如此，我们相信这样的对话是重要的，不过应当在不影响公司首席执行官领导力的前提下进行。

　　这种拜访可以从新董事的就职培训开始。我们在第六章曾经指出，一些董事会认为这些会见对新董事非常有价值，所以希望全体董事会成员都有定期拜访的机会。实际

第七章

上，很多董事指出，由公司高层经理人员偶尔陪同参观较远的经营单位，能够改变他们和高层经理之间的关系，与当地员工交流，并增进对公司的了解。这样的旅程可能被指责为"花架子"，但我们认为对董事而言是受益良多，因此而耗费的时间和费用也非常有价值。

请记住我们的目的不是消除——哪怕减少——公司首席执行官作为董事会主要信息源的作用。董事会有合理的根据依靠公司首席执行官提供信息。但是，我们希望拓宽董事们的信息来源，以便他们有更广阔的公司视角，能够改善其提供建议、制定决策和监督公司发展的能力。

二、更多的从战略层面处理信息

即便董事会在实践中采纳了这些建议，董事们在审议过程中使用的大部分信息还是来自管理层，但这些信息的真实性可能存在问题。很多董事告诉我们，他们被收到的大量材料淹没了，但这些材料的内容却"索然无味"。因此，董事们在两次会议的间隔期间忘记很多内容，并让经理人员重复告诉他们一些信息不足为奇。为了解决这个问题，董事们（和管理层一起）必须更加仔细地定义董事会所需要的信息，并设法使信息更加难忘。借助新科技的力量将使这一目标更容易实现。

1. 确认董事会所需要的信息

我们无法详细地确认一个特定的董事会所需要的特殊

信息——各个公司必须根据具体情况进行分析。信息的形式也很重要，但我们也无法具体描述应当使用哪种形式。例如，一个简单的图表可以比满页的数字传递更多的信息。我们所能做的只是鼓励董事考虑他们需要什么信息，并将这些信息有机组合在一起。例如，设想一名在董事会供职三年的董事，他应当拥有可以回答下列问题的信息：

(1) 公司的哪些活动正在创造股东价值，哪些活动正在破坏股东价值？我们是否知道哪些业务的收益超过了资本成本？

(2) 公司的业务长期（三到五年）利润率发展趋势如何？

(3) 公司面临的主要风险是什么？这些风险被有效的控制了吗？

(4) 公司使用的会计方法对于某些财务报告问题而言是否过于"激进"了？

(5) 公司正在进行的大型项目是什么（资本性项目和经营性项目），这些项目的实施是否在战略规划和成本方面体现出来？

(6) 公司员工士气如何，核心员工的流失率怎样？是否调查过员工的态度；如果调查过，他们的心声是什么？我们如何培训和留住人才？

(7) 公司主营业务的市场份额是否稳定？消费者满意度的发展趋势如何？

第七章

(8) 公司的主要品牌状况与公司形象如何？影响力是在增大还是降低？

(9) 公司主营业务的战略与竞争者的战略差异在哪里？

(10) 金融分析师如何评价公司的股票？经纪人对我们公司股票的评级是"买进、持有还是卖出"？他们依据哪些事实进行判断？

太多的董事们似乎都被数字淹没了，却无法回答这些基本问题。如果董事会成员根据这个问题清单给自己打分——我们鼓励各个董事会都"设计"他们自己的清单——他们就可以确认在知识方面自己的情况与公司要求之间存在的重大差距。如果得分很高，董事们就应该相信自己有充分的准备履行其职责。

我们并不是建议完成这些问题的所有信息都由董事会的月报或季报提供。当利用信息理解具体问题时，学到的信息能够最好地转化为实用知识。董事会必须做的事情是定期总结情况并自我询问这样的一系列问题。如果他们感觉信息不充分，则必须和公司管理层一起决定应该何时和怎样获得这些信息。

2．使信息更加难忘

即使董事获得了所需要的信息，他们中的许多人也可能在董事会会议过后难以记住这些信息。董事们在掩盖这一问题时颇为尴尬。我们以往对每一个董事会的调查中几乎都有人指出这个问题,这也部分反映了公司管理层人员的沮丧感,他们认为董事们应当在巩固已被告知或已阅读过的信息方面做得更好。尽管在我们的调查中,大部分首席执行官感到这并不是一个问题,但是他们中超过40%的人无法确定,或相信董事们不能回忆起从先前的董事会会议中获得的信息(参见附录,命题B-3)。当你对董事们是否能够记起你以前曾经讲过的事情心存疑虑时,你如何能够自如地与他们进行讨论呢?

  我们相信大多数董事之所以会忘记以往的信息,并不是因为懒惰或缺乏能力,而是很难记住信息。他们需要掌握的信息数量飞速增长。市场以前所未有的速度变化。记忆的任务——哪怕仅仅是与变化同步——对兼职的董事们也是困难重重。当董事会会议结束后,他们需要立即将精力转向其他事务,在两次会议之间通常有2个月时间无法考虑董事会的事情。

  为了使信息更加难忘,董事们需要借助思考框架捕捉信息,在潮水般的信息中辨别出关键信息。如果他们脑海中对公司的业务模型没有概念,就只能艰辛地理解所获取的一星半点信息。大多数董事们会收到传统的财务报表,还分别会收到小山一般的资料,涉及公司每个业务单位或不同地区的生产和销售数字及相关成本的信息。如果能够找出模型整合所有这些数字,就有可能帮助董事们更清楚地理解这些关键要素如何影响财务结果。

第七章

可以利用一些工具协助完成这项任务,比如平衡记分卡(Balanced Scorecard)。①5 这些工具的主要目的在于显示公司的高层管理目标如何系统地和公司中低层的具体任务相联系。这些理解能够指导董事们找到关键的平衡点。

这些模型有助于董事们处理复杂的事务,并确保他们关注实质性问题。我们的见解是:董事们在记忆信息方面存在障碍,不仅因为他们是繁忙的兼职者,更因为他们没有合适的"业务模型"以阐明公司运营的方式。说来奇怪,董事们既不知道平衡点,也不知道利润的真正动因是什么。这种情形下,他们只能继续艰难地理解压过来的信息。

因此,公司管理层面临着一个重要任务——特别是财务总监(Chief Financial Officer)——和董事会需要找出一个能够解释和描述公司业务实际如何运作的模型。公司或其下属业务单位成功的关键驱动因素是什么?当董事们能够很好的理解这些问题时,他们就能更有效地运用所获得的信息。

3. 利用新技术的优势

新技术有助于出色地完成这项任务,一些董事会也开

---

① 1992年,哈佛大学商学院教授罗伯特·S. 卡普兰(Robert S. Kaplan)提出"平衡计分卡"(Balanced Scorecard)的理论。平衡计分卡将企业愿景与策略转换成为一套前后连贯的绩效衡量,组成了四个不同的层面:财务、顾客、内部流程、学习与创新。平衡计分卡弥补了传统绩效衡量制度只注重财务衡量的不足,将企业内外部、长期与短期等多种平衡综合考虑,让组织的人员、系统、文化和关键流程都能与顾客价值一致。这种理论提出了严谨而全面的架构理念,被认为是最能够协助企业落实策略的一种战略方法。——译者注

始为董事们提供迅速获取信息的途径。例如,澳大利亚电信公司(Telstra)已经建立了可以在线查询资料的信息系统。这个系统包括董事会会议日程、时间、董事会和专业委员会的一些相关信息(系统引进之前的信息及现在的信息)、董事会和审计委员会的章程、政策、公司的股票交易公告、新闻剪辑、新闻总结以及一些其他内容。还包括安全的电子邮件系统供董事们相互沟通。

一些公司领先于同行建立了基于内部互联网的信息系统,使董事会能够随时获取公司相关的业绩数据。来自不同报告的信息可以被分类、整理和总结,并增加到信息库中,董事们还能从中获得"简明易懂"的图表信息。如果他们愿意,还可以从中"深入"探究更多的细节和数字之间隐含的因果关系。

这些新技术的运用使董事们在获取和研究公司最新信息方面具有前所未有的自由空间,只要他们有这样的需求——管理层也无须耗费大量时间编辑和总结信息。这些信息系统是公司管理层的新福音,因为满足董事们对信息的需求是一项艰巨而繁琐的任务。另一方面,一些公司首席执行官担心董事们随意访问管理数据库可能会产生麻烦。尽管如此,我们相信董事们有责任发掘信息以增进他们对公司的了解,他们有权要求管理层提供这项便利。不过,我们最后的分析结论是:董事们能否有效利用这些信息,取决于他们是否能够充分理解公司的业务模式。否则,更多更快的信息资源只会给董事们带来更多的困惑。

第七章

三、鼓励董事专注于某一领域

任何有关知识"生产力"讨论的核心都是"培养专长"。毫无疑问,鼓励董事们专注于某一领域需要董事会认真设想如何改变董事会成员之间共同合作的模式。

董事们如何进行知识管理是一个重要问题。现在形成的普遍共识是:以董事会为核心,下设专业委员会,董事们依托专业委员会更深入地学习审计、薪酬等(现在还包括公司治理)方面的专业知识。这些专业委员会的出现承认了兼职董事们进行任务分工的重要性,他们需要专注于某一领域。然而,大多数董事会中的专业分工仅到此为止。

我们认为这是错失了机会。早先已经论证过,董事会是一个"知识型机构",在这样的团体中,针对复杂性的工作,提高效率的方法是分工和专业化。基于这种理念,我们认为应当鼓励每一位董事在那些事关董事会业绩的重要领域内分别不断积累专业知识。应该鼓励他们探讨某一个专题或某个问题,并就此构造更权威的专业知识。这样的结果不仅使董事们可以更好地理解信息,而且在全体董事会成员讨论时能够作出更好的贡献。董事们专注于某个领域以发挥专业特长与公司管理层的职责不能混为一谈。管理层仍然拥有其特有的权力。

一些董事会正在朝这个方向努力。几年前,一家我们比较熟悉的银行尝试为外部董事们分配了7个专题,例如,管理层的培训与发展,并要求每位董事针对某一个专题"逐渐深入"进行研究。意外的是，这项计划是在董事会表示担心"过度介入"管理层活动后，由公司首席执行官提议进行的活动安排。迄今为止，公司首席执行官和董事会两方面都给予这项计划正面评价。董事们认为他们的专业知识更丰富了，首席执行官也认为董事们并没有干预公司管理层活动。

　　一般而言，我们不赞成把具体的业务或功能分配给每位董事负责，因为这将直接导致与公司管理层的职责重合——造成董事和管理层之间的紧张气氛。我们更希望董事们关注的专题能够超越管理的业务界限——例如，新技术的使用、高层管理人员的培训与发展或对亚洲的投资。为每位董事指定的研究专题也应当有一或两年的"日落条款"(Sunset Clauses)①限制，以保证他们不会逐渐习惯于墨守成规。每一位董事的任务应该是拓宽视野，对某一个领域的问题有更深入的了解。例如，如果公司在亚洲的重大投资是关键的投资组合问题，被指派的一位董事（或两位）就应当调查了解本行业有哪些其他的公司正在这里投资以及经营是否成功。他们需要建立当地的关系网络、订阅当地的报纸期刊、不定期的与熟悉当地情况的咨询师或其他人士接触等等。他们可能还需要偶尔与同仁会面——其他公司的董事——这些董事也关注本公司在亚洲的经营活动。董事们还需要确信自己理解了公司高层管理人员的经

---

① 参见第五章"日落条款"的注释。

第七章

营意图。同样，如果公司高层管理人员培训与发展是公司需要研究的重要课题，则关注这个领域的董事可能需要与公司高级管理人员一起访问在这个方面做得极为出色的公司。董事们可能还需要花费一些时间了解公司内部的高层管理人员培训项目，还必须用一些时间和高层管理人员讨论他们对这些项目的理解以及他们对自己职业生涯发展的期望。

我们鼓励董事会尝试用这些方法增加其处理多变与复杂业务问题的能力。我们的主要意图是提高董事会整体业务知识水平，使董事们能够更充分地理解信息，在审议过程中贡献真知灼见。尝试这些方法还有额外的实质性收获——即使董事们只专注于一个很窄的领域，董事们对公司的整体理解也会上一个新的台阶。

如果董事们有充足的理由积极参与公司的运营过程，他们就能更充分地了解公司。大多数非执行董事的角色可能是非常消极与被动的，因而严重限制了他们学习的主动性和能力。目前他们的任务仅仅是阅读和评议完全由其他人（通常是管理层）为他们准备的材料而已。鼓励董事们专注于某些具体领域有助于他们深入参与公司的重大决策。

不言而喻，向董事们"分配"专业领域时应当遵循一些基本准则。董事们应该切记他们的目的是代表整个董事会学习更多的专业知识，而非干涉管理层的活动。同样需要知道，与董事会的同仁，包括公司首席执行官，共同分享自己所学到的专业知识是其义不容辞的责任。

积累并灵活运用知识

正如我们在第三章指出的，一些董事可能对以这种方式增加他们的责任和自身的工作量感到不愉快。一些公司首席执行官可能害怕董事们因此而涉足管理层的职权范围。另一些董事还可能争辩董事会的职责和责任应当由全体董事们分担。因此，他们会论证董事会在某些方面依赖个别董事的专家权威是不合适的。这是我们经常听到的反对声音，但是说服另一种广泛流行的观点似乎更难——为了获取某方面的特殊知识与技能，不如寻觅新董事。董事会常见的想法是宁愿聘请一名新董事弥补董事会某些方面能力的不足，也不愿意对现有董事的培训与发展进行投入！

尽管董事们似乎还是乐于成为通才，但我们相信，鼓励董事们专注于某个领域发挥各自的专长，是董事会有效治理的关键。在我们的调查中，大多数首席执行官同意我们提出的论点，即为了应对公司的复杂性，需要向董事们分配一些专题以便其了解更多的专业知识（参见附录，命题C-2）。

近年来，知识管理在公司管理层已成为一个热门话题，这是有充分根据的。但是，董事会现在也需要考虑这一问题。我们的提议让董事会有机会尝试新型的知识管理。很多董事担心他们的能力是否能与快速发展的企业同步，这样的压力将逐渐增大。如果董事们不能在每一个董事会投入更多的时间，专注于某个领域以发挥自己的专长就是有效解决问题之道。

第七章

四、知识运用：两个核心程序

知识的趣味在于：用得越多，则理解得越多。而且，董事们之间分享的知识越多，他们作为整体了解的知识就越多。战略制定程序和公司首席执行官业绩评价程序是董事们发展、运用和分享知识的两个核心程序。董事们在运用这两个程序的过程中可以积累很多相关的专业知识。第一个程序将增进董事们对公司现状和公司发展方向的认识。第二个程序使董事们更充分地了解公司管理层以及整个董事会对公司首席执行官工作的评价。这两个程序使董事们能够对公司哪些方面做得好或不够好形成共识，此外，也帮助确定哪些方面董事们还有不同的意见。

我们接触过的每一个董事会都渴望"用更多的时间参与战略制定"。董事们为没有足够的时间投入这方面的工作而烦恼。董事会面临的一项挑战就是如何能够真正参与公司的战略制定程序，因为董事会的工作流程不可能与战略制定程序分开设计。

每一个多元化公司（绝大多数公司都经营多项业务）都会遭遇公司总部与业务分部关系如何平衡的周期性阵痛。是"放手不管"，还是"严格控制"？公司总部的作用应该更像金融控股公司，还是更多地参与公司各项业务的战略制定？计划程序应该主要"从上至下"，还是"由下而上"呢？

董事会无法在不考虑公司管理层想法的情况下独立参与战略制定过程。例如，如果公司首席执行官不希望董事会在战略规划程序的初期与公司业务主管人员接触,董事会就应当尊重首席执行官的意见而不这样做。这是一个显而易见的问题,但董事会从未将此作为一个会议议题进行讨论。董事会参与战略制定程序被认为是常规性活动,却很少有实际操作方面的建议告诉他们参与的方式和可能遇到的障碍。结果往往给董事们和经理们都带来困扰。

我们建议董事会从以下方面入手寻求实质性的参与战略制定过程:

首先,董事会必须依据定位确定参与战略制定的范围。他们只希望做监督者还是希望更主动地介入公司管理事务?董事会主要对"公司"战略感兴趣——财务目标和投资组合,还是希望认真参与公司下属每一个业务单位或一些主营业务战略的制定?无论选择是什么,董事会都必须掌握所需要的信息和知识。

第二,董事会希望从战略制定程序开始时就介入,还是从中途的某些特殊环节介入——或是满足于等公司管理层完成主要工作后再进行评议?如果董事们希望更深入地参与战略制定过程,就需要更早的与管理层和在董事会内部进行相关的讨论。

第三,董事会必须确定他们参与公司战略制定的期望与领导公司的高层管理人员,尤其是首席执行官的信念是否吻合。除非公司管理层首肯,董事们不可能参与具体业务的战略规划,也不可能在战略制定过程初期便采取行动。如果公司总部使用"由下而上"的

第七章

战略制定方法，董事会就不能使用"从上至下"的方法。例如，如果董事会希望在业务计划制定过程当中提出评论和建议，他们的要求必须和管理层的管理流程相协调，而不是寻求独立性。

最后，董事会需要理解制定战略犹如剥洋葱一样，是一个重复的过程。每年的战略调整会议，通常是董事会和公司高层管理人员离开公司到某地开2～3天的会，就公司面临的主要问题进行讨论。这种方式之所以被广泛接受是由于董事之间和董事与管理层之间有一个深入讨论战略问题的机会。不过，我们需要提出告诫：这样的战略调整会议容易使人误以为战略规划是一次性的活动。这是错误的想法。相反，正如第一章所描述的那样，德尔福公司董事会清醒地意识到，董事会需要持续地介入战略制定过程。每年年初战略调整会上提到的相关问题必须在本年度的其余时间内逐步研究，直到产生明确结果为止。除非认识到这一问题的重要性，否则董事们会由于自己的经验被视为肤浅而感到沮丧。有效率的董事会是将战略调整会中公开讨论问题在本年度随后的董事会会议中不断讨论，直至解决问题。

董事会需要参与的另一个核心程序是评价公司首席执行官。很明显，这是有效监督公司业绩的关键，对董事们而言，也是一种如何观察公司与领导者的知识积累方式。

大多情况下，我们看到董事会对公司首席执行官的评估事实上都是表面文章。然而，进一步探究，我们也发现薪酬委员会的成员在确定首席执行官的薪酬计算公式时，彼此之间会交换一下他们对公司首席执行官业绩的看法。这几乎也是过于表面化的评估，实际上没有切中要害，因为整个董事会并没有参与评估过程。

我们准备设计一个更为彻底，所有的独立董事都能够参与，甚至执行董事和公司其他高层管理人员也能参与的评估程序。每一个董事会都应当设计出适合其具体环境的评估程序——包括董事会和公司首席执行官之间的特殊关系。不过，我们认为一个有效的评估程序应该涉及以下这些基本内容：

> 应该允许公司首席执行官向董事会提交他对其去年业绩的自我评价以及为自己今年设定的非量化工作目标，例如，培养接替自己职位的接班人的工作，准备一项重要的收购计划或改善公司在欧洲的业绩等。

> 应当使董事能够辨别公司首席执行官的"业绩"和公司取得的"成果"之间的差异。显然，公司所取得的财务和竞争成果必须列入业绩评估范围。然而，很多时候，即使在公司的财务结果或竞争表现不佳的困难时期，首席执行官的业绩也非常出色。有效率的评估应该使董事们区分这两种情况，客观地看待首席执行官的作用。

> 应当允许董事们每人提出个人对公司首席执行官

第七章

工作的评价。很多方式可以采用——如书面调查问卷;要求每一位董事写一份备忘录表达他的想法;或者与每一位董事进行面谈。例如,由公司治理委员会或薪酬委员会的成员与每位董事面谈。

➢ 董事提交的个人对首席执行官的业绩评估应当以无记名的方式进行汇总。如果董事会主席不是首席执行官,这项工作可以由董事会主席负责。如果董事会主席兼任首席执行官,则由常务董事负责或者由某位专业委员会主席负责。

➢ 所有的独立董事应当分享评估过程中达成的共识,他们之间经过讨论后确定一个大家共同认可的最终评估版本。

➢ 至少应该由两名董事与公司首席执行官就评估结果进行面谈(再次强调,如果董事会主席不是首席执行官,由董事会主席与首席执行官面谈。如果董事会主席兼任首席执行官,由常务董事和/或某位专业委员会主席与首席执行官面谈)。

这些做法的理由都显而易见,但我们还是希望强调几点。例如,我们希望看到所有的董事都能参与讨论,这不仅因为这是他们的责任,更因为这是一个很好的学习机会。这些讨论能够帮助他们理解其他董事会成员如何看待公司首席执行官的业绩以及公司的现状。这样他们将更有活力,分享彼此的看法,这是提高董事会效率的关键。

我们建议至少有两位董事与公司首席执行官面谈评估

反馈,以保证交流的信息准确无误。业绩评估反馈可能会带有情绪化的因素。常见的情形是传达反馈意见和接受反馈意见的双方都具有自卫心理,从而误解别人的意图;这种情况在公司首席执行官、董事和其他人身上都会发生。至少两位董事参与评估反馈能够保证沟通过程更为客观、信息准确。

是否让公司执行董事和其他高级管理人员参与对首席执行官的业绩评估是有些复杂的问题。负面意义在于,他们是首席执行官的下属,内部人的介入会导致问题复杂化,并阻碍外部董事发挥作用。另一方面,让外部董事充分了解公司首席执行官的领导风格、技巧以及是否受到管理团队的尊重非常重要。当然,现在很多公司采用360度评估方法,一些老板也习惯从其下属那里获得评估反馈意见。无论评估的信息来源如何,董事会必须准确理解公司内部管理人员对首席执行官的评价。

无论怎样操作——我们敦促董事会依据描述的方法设计自己的评估程序——公司首席执行官的业绩评估是董事积累和运用知识的重要机会。可以让他们反思自己对公司的理解是否正确,使他们能够知道其他董事的感觉。最后,这个机会还使董事们知道公司首席执行官对自己的成就以及公司成就的看法。

我们提到每位董事利用有限时间积累知识有很多措施,上述的核心程序只是其中的两个。我们已经反复强调,每个董事会应当根据其选择的作用设计自己的结构、成员

第七章

组成和工作程序。

　　检测董事会的设计能否很好地适应公司环境,是看这种设计能否让董事们了解公司以及不断地积累相应的知识。董事们由于难以在有限的时间内深入了解公司而继续受到指责,这个压力将一直存在。所以,董事会必须抓住每一个机会反思和挑战他们目前了解公司的方法。董事会的工作程序与活动好像多年运行的"自动驾驶仪",很容易演变为自身的惯性固定下来。有效的董事会将定期检查这些活动,反问自己这些活动是否仍然增加价值——这通常意味着:"能帮助我们更好地了解公司所面临的重要问题吗?"如果没有帮助,便是重新设计董事会的时候了。

第八章　紧闭的会议室大门背后

在我开始感觉到被人讨厌之前,我只是问了两三个棘手的问题。

——非执行董事

我可能不赞成某位董事的观点,但处理这类问题始终非常谨慎,只有当征询意见时,我才表明立场。

——公司高级管理人员

董事会的大部分工作都是在私密的董事会会议室内完成的。在这里,董事们一起讨论董事会的会议议题、与管理层会谈、提供建议、审议通过提案、进行决策。有关董事会成员个人如何作出贡献和董事会作为群体如何有效率工作方面的信息外界无法得知,即使曾经有过,也非常罕见。

同样,在董事会会议室之外,董事会成员之间以及董事会与管理层之间更多局限于内部交流。电子邮件、电话和

第八章

专业委员会会议——参与者受到严格的限制。"圈外人"几乎不可能得知当前的重大事件是否引起董事会的足够重视,他们使用的信息是否充分准确,决策的程序是否科学严谨——总之,董事会的工作是否有效率。董事会的工作都是在"董事会会议室紧闭的大门背后"进行,这是我们对很多董事会现在的改革提议持怀疑态度的主要原因。

例如,纽约证券交易所 2002 年举办的一次推荐活动:他们在授权委托书(Proxy Statement)中公开了主持独立董事会议的董事姓名。[1] 这是一个很有效的规定。如果公司首席执行官或管理层其他成员不在场,参加会议的董事会成员彼此能够更加坦诚相见地讨论。如果主持董事会会议的董事姓名被公开,委托授权书的读者会感觉到公司治理"一片光明",前景更有保证,独立董事们召集会议是"控制公司重大事务"的表现,是人们所期望的反应。

但这可能过于乐观。实际上,没有人——除了参加董事会会议的董事之外——能够知道董事会会议是否能够真正服务于他们的意图。董事会成员的行为无法从董事会会议室以外进行控制。董事会会议时间可能是几分钟或几小时。他们可以解决或不解决具有重要意义的事项。董事会的领导者可能对问题了解很深入并有能力使董事们达成共识,但也有可能情形完全相反。这一条新规定固然重要,但所起的作用只是给予董事会正确行事的机会。在紧闭的董事会会议室大门后面实际出现什么情况,取决于会议室中董事们的行为。

紧闭的会议室大门背后

那些真正希望建立一个有效率的董事会的董事们需要超越任何外部强制性的规则和程序而看得更远。首先是坦诚地考察董事会成员彼此之间如何合作以及效果。一个高效率的董事会对公司管理层既支持又监督，既允许有不同意见又鼓励达成共识——这是很难达到的平衡。在这一章，我们将考察在董事会会议室关紧的大门背后，董事会成员之间经常出现哪些不当行为？什么是董事们之间最佳的合作行为？我们关注董事会的行为时，必须牢记董事会成员的合作模式不是随机的。我们始终强调，董事会成员的行为是由每个董事会的设计决定的：包括成员组成、董事会的结构、工作程序和董事会的文化。

一、董事会会议室内的不当行为

在董事会会议室紧闭的大门背后有不少事情出了问题，根据我们在董事会的工作体验以及与上百名董事和公司高级管理人员的座谈，我们有相当的把握认为董事会会议室内的不当行为确实存在。常见的典型问题有：

➢ 公司首席执行官的自卫心理很强，不愿坦率面对董事会。结果，讨论的气氛总是很紧张，变成互相质询。董事们不得不隐藏和放弃自己的观点。

➢ 公司管理层向董事会提供的材料很混乱，或仅仅将既成事实的决策通告董事会。结果，董事会没有机会探究其他可替代的行动方案。

➢ 董事们感到自己的提议不受重视。这可能导致形

第八章

成一个消极的董事会,董事们"失去兴趣",不再试图提出自己的看法。

➢ 董事们利用董事会会议彼此评判,力图证明自己的聪明才智或证明自己已经理解了董事会报告;或花时间夸耀他们曾经工作过的其他公司运作多么完美。结果,董事会的讨论成为"表演",却没有解决公司的重大问题。

➢ 当公司管理层报告坏消息时(所有公司都会有这样的时刻),董事会成员"炮轰管理层"。结果,以后坏消息来得更迟,经常迟得不可收拾。

➢ 董事们说得多,听得少。他们希望自己受到尊重,和公司高层管理人员的"谈话"也多是单向的。结果,董事们无法适当的验证自己的观点,也不清楚管理层的想法。

➢ 公司首席执行官垄断会议时间向董事灌输行业和公司的发展现状。结果,几乎没有时间留给其他的会议日程,董事们也失去了讨论的机会。

➢ 独立董事们的"执行会议"①混乱并冗长。结果,董事会的其他成员因时间的浪费而失去耐心,首席执行官也越来越焦躁,用一个形象的比喻:他在地板上来回地踱步,愤怒地问:"他们在那里做什么?"

---

① 独立董事的"执行会议"(executive sessions),指排除公司管理层(包括首席执行官与执行董事)参加的全体独立董事会议,通常讨论管理层业绩指标、业绩评价、薪酬方案等方面问题。——译者注

➢ 公司董事会主席过分关注按时结束会议。结果,重要的讨论被压缩了,会议日程上的最后一个议题在混乱中结束,董事们纷纷合上公文包向门口走去。我们曾经说过,这一问题经常因会议日程安排过满而恶化。

➢ 公司首席执行官和董事会主席(或首席执行官与常务董事,如果首席执行官兼任董事会主席时)没有就各自承担的任务达成共识。结果,董事会会议的内容可能没有很好地规划,独立董事们对谁负责董事会的审议程序感到迷惑。

➢ 董事们在没有通知首席执行官的情况下直接与其下属联系。或相反,董事们知道公司首席执行官不赞成这种联系,所以他们与首席执行官的直接下属完全没有互动。在第一种情况下,董事的做法可能会破坏公司首席执行官与其下属之间的关系。在第二种情况下,董事们对公司高层管理人员的想法一无所知。

这个长长的清单反映了董事会任务的复杂性。它还反映了董事会低效率(甚至有害于董事会)行为的根本原因。为了提高效率,董事会必须建设性地管理两类关系:一类是董事会成员之间的关系;另一类是董事和公司高级经理之间的关系,尤其是和首席执行官之间的关系。每一个董事会都必须处理好这些关系网络,否则问题会逐渐自我强化,难以解决。

第八章

如果没有一个行为模式避免上述问题的出现并培育有效率的工作关系,董事们会发现,即使不是绝对不可能,也很难在共同工作的有限时间内完成任何任务。在本章的其余部分,我们将探讨鼓励形成正确行为模式的可行方法。

二、"正确的"董事会行为模式

我们注意到,大多数董事都是成功的有身份人士,领导重要的机构。他们要对成千的员工和上亿美元的资产负责,法律规定和股东期望定义了他们的工作职责。尽管开会是私密的,但是他们的决策经常在公共领域被审查和批评;因而,当公司出现问题时,他们需要承受名誉损失的风险——甚至承担法律责任。对这个问题的实质进行概括,董事会不过一个小群体定期面对面开会的时候完成几乎所有工作的组织。这个事实激发了对高层决策团体的大量相关研究与思考。

已经讨论过设计因素如何决定这类群体的功能,不过,我们希望集中讨论两个影响董事会会议中成员行为模式的因素。首先,也是最明显的因素,是这个群体的领导者——董事会主席的行为。他能否完全控制最稀缺的资源——时间。他能够决定谁的观点最受重视、讨论哪些问题、每一个问题讨论多长时间以及讨论的顺序。他决定怎样分配情况介绍和问题讨论的时间以及如何解决意见分歧。

我们想讨论的第二个重要因素是群体中形成的行为规范。规范确定了群体成员认为什么行为适宜或不适宜。董事会的行为规范受董事会设计的影响：成员的个性、领导结构、会议的频率和时间长度等。规范在董事会整个发展历史中通过其成员的互动和合作逐渐形成。新董事第一次参加董事会会议时，通过观察有经验的董事言行来学习这些规范。以这种方式他们知道什么样的行为可以被接受，什么样的行为被含蓄地禁止。一个新董事了解规矩的实例就是知道在会议上应当说多少以及如何表达反对意见。我们知道所有的董事会对于这一点都有不成文的惯例。如果一名新董事在会议上的"发言时间"太长，老董事会以微妙的方式暗示他们的不快。有经验的董事们默认董事会的规矩，并找到维护这些规矩的方法，首先是微妙的暗示，如果还不管用，就更直接地说出来。即使有影响力的成功人士也会介意这种群体压力。

　　董事会的一系列行为规范——也有人称之为"董事会文化"——是董事行为模式的强有力驱动因素。董事会的行为规范确定董事的席位、会议时间延后时怎样处理以及哪一位董事的观点值得尊重。如果（这种情况经常出现）一名董事没有意识到席次的惯例而坐在会议桌的顶端，假如需要变动席次，他会发现非常困难，而改变董事会群体的互动渠道则是更有成效的方向。

　　显然，董事会需要这样的领导者：他不仅对现存的群体规范有敏锐感觉，还能够帮助群体逐渐培育出能鼓励良好行为的规范。而且，董事会需要领导者"指明"期望的行为模式；否则就会听任太多的不当行为泛滥。此外，有效率的

第八章

领导者还必须能够理解董事会的设计如何实现鼓励所希望行为模式的目标。以下是一些最低限度的必要行为模式：

- 董事们询问一些棘手的问题时不会导致管理层怀有戒心。
- 鼓励董事们之间有不同看法，但要承认遵从多数同意以及保留反对意见的规则。
- 董事们不应试图贬低其他董事或经理。相反，他们应该以达成理解和共识为目的，积极参与相关问题的讨论，尊重他人的意见和专长。
- 董事们和经理们相互理解何时应该倾听和学习对方的意见，何时进行讨论。
- 董事们和管理层之间的任何交流都应该是双向的。如果管理层认为董事们掌握的信息不足或不正确，可以反驳他们的意见。董事应该认真倾听管理层的想法。
- 董事们应当尊重董事会的会议日程。他们遵守日程并理解关注重要问题的意义。董事会鼓励讨论，但每个董事都要学会控制时间。

如果董事会会议室培育出这些行为规范，不仅董事们感到彼此之间的讨论更为愉快，董事会主席的工作也会更为轻松。董事会主席鼓励坦率与有效的讨论，调和冲突意见的努力将得到董事会同事的支持。即使有这样的有利条件，董事会主席仍然任务重大。他必须在控制时间的同时鼓励参会者积极讨论，同时确保真正重要的问题提交讨论。更为重要的，董事会主席必须不断推敲已经形成的决策，检验董事们是否真正达成了共识。董事会会议不仅需要举手表决或正式投票。还包括了解董事们的真实想法。

三、 鼓励推崇的行为模式

当然，列出一系列推崇的行为模式只是一个开端。一旦董事会明确了哪些是鼓励的行为规范——哪些不是——公司董事会主席必须根据这些规范管理整个董事会会议与董事们之间的互动行为，以便推崇的行为规范不断强化，逐渐减少不当行为。同时，每一位董事必须采取进一步的行动促使董事会理智地认同所推崇的行为规范，并且真正实践这些行为规范。董事会必须将新的行为规范落实到工作之中，保证董事会设计和行为规范相协调。

我们曾经指出，一个出色的董事会应该既支持又监督管理层，这些都不可能脱离董事会的行为规范。以下是几种鼓励推崇的行为模式的好方法：

- 明确董事们所寻求的——所需要的——与公司首席执行官及高层管理团队的关系：董事会必须决定他们希望和管理层保持老板与下属的关系，还是平等的合伙人关系。
- 董事会的讨论程序自身能保证"反对意见合法化"。董事会存在抑制不同意见的很多压力，但董事会必须采取措施保证不同的观点都可能受到质疑。最

第八章

重要的是保证董事会有充足的时间和信息进行讨论。

➢ 承认董事会和管理层之间存在隐含的对立关系,这种关系应既承认"应有的勤勉"又保持"信任"。两者都很重要,但彼此之间经常以适得其反的方式相互对抗。

➢ "使用评估表"。即定期使用第六章讨论过的评估技巧衡量董事会行为的成效。这是保证董事会的实践向所希望的方向推进的有效措施。

1. 与首席执行官合作

我们已经强调过独立董事与其管理层同事能够更有效合作的一些方法。不过,我们还要详细探讨董事们和公司首席执行官之间的关系。我们曾经指出,董事们必须明确他们希望和公司高层管理团队之间建立什么类型的关系。这种关系的现状如何?是老板—下属类型的关系,还是更像合伙人关系?应当是哪一种关系?(董事会成员现在的感觉与现实一致吗?)

董事们大多习惯于把自己设想为"老板"的角色。事实上,最坏的情况是:公司管理层将董事们奉为皇族进行恭维,却从不对他们说实话。即使在机制健全的董事会,管理层表达与董事们不同意见的权利也经常被限制。同样,很多董事会会议室的装潢风格与陈设倾向于传递敬畏与威严的感觉——震慑的气氛不利于建立开放与有效的工作关系。在安然公司事件之后，董事会应该加强控制，保持权威的呼声更高了。

尽管董事会的确具有法律意义上的最高权威，但现实远比法律复杂。在很多方面，权力关系实际上是相反的，不管表面现象如何，首席执行官真正处于领导者的地位。毕竟，只有首席执行官承认董事会的权威时，董事会才能有成效。董事会只有充分了解这一事实，才能真正有效运作，掌握公司治理的权力。

我们并不是建议董事会简单地顺从管理层的意愿，接受被随意支配的状态。我们更希望董事会回答以下问题："如果没有公司首席执行官及其管理团队的支持，我们的工作能做到什么程度？"这个问题虽然简单，但很多董事会发现答案使他们心绪不宁，因为这暴露了董事会对公司首席执行官的依赖关系，展示出董事会与公司首席执行官的现实复杂关系。

是的，如果公司董事会与首席执行官进行较量，董事会最终会战胜首席执行官。同样，只要首席执行官在位，董事们就不得不完全依赖他安排会议，并接受其提供的信息和知识。我们的意见是什么？董事会和首席执行官应该建立平等的合伙人关系。没有其他途径！

很多公司治理倡导者也许不赞同董事和管理层之间应当形成合伙人关系共同领导公司，他们认为董事会的角色是黑白分明的，即将管理层置于控制之下。但是真正理解管理层具有多种权力杠杆的董事们，与那些单纯相信董事

第八章

会控制大部分权力的董事们不一样,他们会采用完全不同的方式完成任务。了解这一点的董事会愿意鼓励管理层表达与其不同的观点,而不是让管理层保持沉默旁听自己的演说。管理层提前披露坏消息应当受到奖励而非惩罚。董事会应该仔细倾听,细心观察,而不是仅仅捍卫自己的观点。

正是在这种意义上,董事会面临着一个有趣的困境。在商业世界中,他们是最有权力同时又最无等级的机构。

董事会被假设为(事实上也经常是)一个成员平等的团体,每一位董事对董事会的工作负连带责任。至少在理论上,董事会内部完全没有正式的等级。每位董事的意见都同等重要。甚至董事会主席也应当将其他董事视为同仁。实际上,董事会主席由董事们正式推选产生。董事会的运作方式与真正的合伙企业运作方式非常相像。

同时,董事会位于公司组织结构中的最顶层。公司权力等级的至高点。至少在理论上,是公司最高权力机构。我们知道每个国家的法律都明确规定,董事会是老板,公司首席执行官为其服务。

然而,我们已经看到,公司首席执行官与董事会之间的权力关系并非如此简单。一般情况下,公司首席执行官有相当多的方法影响公司董事会的效率。我们所调查的公司首席执行官非常理解这一点。(参见附录,命题E-6)他们中的大多数人相信董事会的成功依赖于自己——只有当公司首席执行官希望董事会有效率时,董事会才可能有效率。

调查结果和我们所获得的经验相吻合。在美国和其他一些公司董事会主席兼任首席执行官的国家中，首席执行官几乎自始至终对董事会施加影响。首席执行官安排董事会会议日程、向董事会提供公司信息（通过他自己的管理团队）并主持董事会会议。董事会具有法律上的控制力，但首席执行官在很大程度上能够阻碍或推动董事会的工作。

即使公司董事会主席和首席执行官由不同的人担任，后者对董事会工作也有很大的影响，因为他知道什么问题需要讨论。首席执行官和董事会主席一起安排董事会会议日程，实际上他仍然是董事会所接受信息的最终来源。他对董事会的影响力似乎弱于美国的首席执行官，但仍然对董事会的效率有不可忽略的影响。没有公司首席执行官的积极支持，董事会想了解公司现状和重要问题非常艰难。

我们鼓励董事们指明所希望的与管理层之间的关系。他们与首席执行官及高层经理团队是老板和下属的关系吗？或者把法律关系放在一边，他们更希望建立平等伙伴的合作关系？我们明白很多情况下老板—下属的关系似乎更可靠，特别是当董事会感到无法相信首席执行官达到了合伙人关系所要求的透明度时更是如此。如果是这样，我们建议董事会尽快更换一名能够与董事会坦诚合作的首席执行官——能够促进双方平等合作的关系。从长期看，等级分明的关系不符合公司的最佳利益。的确，不能充分发挥潜能，是董事会——以及公司高层管理团队——出现问题的征兆。

第八章

2. 反对意见合法化

董事会面临的一个最大挑战是如何保证不同意见能够被表达和倾听。群体规范会压抑不同意见，公司董事会主席也可能受规范的引导急于施压以求迅速达成共识。

即使董事会的环境允许不同意见存在，也应该研究是否建立了一种能保证所有的不同意见都能被表达和倾听的程序。很多董事感到他们不应当继续质疑某项议题时就会迅速表示同意。来自管理团队的自卫压力会抑制董事们的继续追查。其他董事也许对深究某些问题失去兴趣。这种处境下董事通常会选择沉默，即使仍然存有疑问，他也不愿意违反董事会的行为规范而冒犯其他同仁。特别是对于一个多年保持成功状态的公司，董事会更容易出现这种危险。我们已经看到很多非常成功的公司因问题突然暴露而衰败。这些公司的一些董事们可能早看到了危机存在，但选择沉默来避免风险。

随着董事会议讨论的深入，董事们屈从于多数观点的压力开始增加。大多数董事希望支持管理层的意见以避免浪费时间。个别董事提问两到三个难题后会感到已经用完了分配给他们的稀缺时间。回想本章开始时引用的两位董事感言：第一位董事感到问了几个问题之后，其他一些董事便表现出厌烦情绪。很多董事也表达了相同的感受。不过，问题在于：如果董事们在还有疑问时就停止提问和表达不同意见，董事会以后的讨论中也会暴露出决策质量低下的问题。

为了避免这种结果,董事会需要引进机制,使得董事们对管理层的质疑不致引发不满和冲突。我们将这样实现这一目的程序称为"反对意见合法化"。其中一种方法是在董事会下面设立一个临时性的专业委员会(类似第五章所描述的特别委员会)处理"赌注性的业务"决策问题。另一种选择是任命一个委员会在每一个重大决策时充任"专职评论者"的角色,指派一到两名董事对主要议题进行批评性的考核。同时,希望所有的董事们以自己认为适宜的方式探究问题,希望专职评论者加倍努力了解情况提出大量的质疑。

"专职评论者"(或特别委员会)可以提出任何数量的问题,尽可能挑剔议案的弱点而不会被认为是麻烦制造者或书呆子。因为他们的角色是明确限定的——这正是其他董事和管理层交给他们的任务。这样的逻辑一目了然。通常对管理层的业绩感到满意的董事们愿意支持管理层,他们倾向于提出温和的问题。通过把反对意见合法化,董事会能够保证重要决策引发富有活力的辩论却不会让人误以为是故意刁难而产生反感。

通用公司最近公开了一个杰克·韦尔奇(Jack Welch)掌权时期采用的类似方法。经理们接受指示准备一份有关互联网业务可能冲击现有业务的报告。换言之,在组织的压力可能妨碍认真考虑一些重要问题的情况下,他们受命准备一份与众不同的"否定性"报告。无论如何尝试,不带偏见地制定和检验正反两方面的情况才能制定出更好的决

第八章

策。如果董事不这样做,管理层提出的议案潜在风险便会成为现实风险,社会批评压力会激增。

尽管还有很多董事对这样的做法怀有疑虑,我们曾经成功地说服过许多董事,当讨论赌注性业务决策时,将反对意见合法化是个明智的主意。可能他们也发现有些时候一般的质询达不到所需要的效果。当然,我们发现如果董事会在这些领域以往有过难忘的失败教训,就会更积极准备尝试这种方法。想要验证这一事实,可以询问那些曾经参与批准一项最终被证明是失败并购的董事们,他们对此有清楚的答案。

3. 应有的勤勉与信任

信息渠道对董事会的效率极为关键,但我们发现有时管理层和董事们对这一问题有误解。管理层认为董事会理所当然的应当信任他们,并依赖他们提供信息。另一方面,董事会认为其应有的勤勉职责意味着他们质询管理层必然不能只依赖管理层提供的信息。

公司董事会和管理层之间动态的实际权力关系说明,董事会和高层经理团队之间高效合作的工作关系既非常重要,又很复杂,颇难实现。我们的调查中压倒多数的首席执行官认为他们公司的董事会积极支持他们,但这只是方程式中的一半(参见附录,命题 B-8)。

一个出色的董事会不仅需要支持管理层,也必须质疑管理层。为做到这两点,董事会必须和公司首席执行官及其高层经理同事建立坦率信任的关系。双方的职责必须非常明确。不要回避棘手的问题,尽管问题不易解决,也必须直面现状并设法予以处理。这里应当考虑如何运用技巧和智慧。解决这一问题牵涉公司的重要人物,其成败对他们的职业生涯意义重大。

当然,事情远比想象中复杂。我们接触过的一家公司首席执行官认为:董事会的责任只是审议公司的计划和预算,他们应当满足于依据管理层提供的常规报告进行决策,只有出现重大问题时才需要从管理层获取补充性的信息。没有额外的消息就是好消息。公司首席执行官的立场非常清楚。除了向董事会提供常规的信息外,不需要董事会进一步发掘更多的信息。他的态度可以描述为:"需要你们知道的时候,我自然会马上让你们知道。"

这家公司的其他一些董事则对此持不同看法。他们相信自己的一个明确责任就是忠诚地保证管理层正在尽力履行他们的职责。一位董事,他对公司管理层一针见血地提问反映出其良好的法律训练背景,将自己的角色描述为,"我需要获取信息、提出质疑以履行职责。这与信任无关。"但是,公司的高层管理者们却不这么看。这位董事的质询对他们产生了极大的刺激,他们相信这位董事并不信任他们的能力。

长此以往,这种紧张气氛在董事会中逐渐恶化。大家认为这是风格与个性的矛盾。但真实情况是:对披露信息的两种合法方式理解上的冲突演变成对信任问题的疑惑。

第八章

由于公司管理层应当向董事们提供哪些信息的不同看法没有公开暴露出来,董事会和管理层经常相互争执。对分享信息方式的不同假设是导致董事会与管理层对双方之间的关系产生许多误解的根本原因,但他们难得承认这一问题,也很少去解决它。

董事会和管理层有时会忘记这一事实:他们实际上在同一条船上。在风格冲突和业绩压力存在的时候,他们很容易理解这一点。但最重要的是:彼此要一直相互尊重对方的合法地位——彼此的工作职责。管理层必须明白,董事们有义务深入调查一些重要的问题,另一方面,董事必须接受这样一个事实:在其应有的勤勉职责范围内,他们最多只能了解到复杂问题的皮毛而已(甚至公司的高层管理者也无法完全了解公司内部的一些深层次问题)。公司业务的稳定最终依赖于公司各个层面上的透明度与开放度。如果董事会和高级经理团队在公司高层没有作出示范,公司中下层也不可能效仿。董事会别无选择必须信任管理层。管理层必须承认董事们深入调查事件的权利。董事们必须鼓励并奖励管理层尽早暴露问题。他们的一个重要义务是:从公司基层到董事会,培育一种尽早尽量全面地暴露问题的信任气氛。

4. 使用评估表

当然,一个设计完善的董事会,其成员除了愿意为公司增加价值作出贡献外,彼此之间也会高度信任并坦诚相待。

但我们也指出:董事的个人优势不是我们这里所关心的问题;最重要的是董事们如何以群体的方式进行合作以发挥其作用。必须牢记这一点。我们需要以某种方式激励董事会评估其行为模式并有可能改变行为模式,以及评估并改变他们与公司首席执行官及管理团队的关系。为此,我们在第六章中建议:每一个董事会应当至少每两年一次对其业绩进行评议。对董事会行为模式予以直截了当地评估是评议的必要组成部分。在表 8-1,我们建议提供 10 个问题作为这类评价的基础,这些问题都体现了董事会行为的核心特征。这些问题是审查董事会合理行为模式的一览表(可以按 1-5 级打分的表),也反映了董事会的领导能力和行为规范。不仅仅是董事,还有大多数公司高级管理人员都应当进行这项评估,因为他们也在观察董事会的活动。

  这些问题对于强调一些细微却重要的行为模式非常有帮助。例如,问题 4 关于公司首席执行官是否寻求来自董事会的建议,永远会引发董事们对于自身作用的思考。关于问题 10 的回答,坏消息披露时是否缺乏信任或公司管理层的推诿性陈述也被认为是一个棘手的问题。如果这些细微问题受到关注,在酿成大祸之前就可以防患于未然。此外,对这些问题的回答体现了董事们重视并认为卓有成效的行为类型和关系模式,推崇的行为标准得以明确陈述并公开展示。

表 8-1　评估董事会行为模式的 10 个问题

　　1. 公司董事会主席的领导风格是否有效率？
　　2. 公司董事会主席（或常务董事）与首席执行官之间有良好的工作关系吗？
　　3. 公司董事会主席（或常务董事）与首席执行官能够理解各自的作用吗？
　　4. 公司首席执行官鼓励董事会提出建议吗？
　　5. 董事与管理层之间的关系是建设性的吗？
　　6. 在董事会会议之外，董事们和管理层之间是否有共同认可的正式沟通渠道？
　　7. 个别董事能够没有困难地提出讨论问题，即允许不同意见存在吗？
　　8. 董事们相互之间以及与管理层之间是否能够以建设性的方式表达看法？
　　9. 决策制定后，董事们是否能齐心协力地支持董事会的决策？
　　10. 有关公司的坏消息是否能够迅速、公开地从管理层传达到董事会？

四、改变董事会的行为模式

　　董事会的**内部运作方式**是决定董事会效率的关键因素。我们描述的上述行为模式——坦率、信任、充分地讨论和争议、反对意见合法化——都应成为每个董事会内部及董事会与管理层之间互动的行为规范。

　　如果董事会成员意识到他们还没有建立这样的行为模

式,应当如何做？我们相信,这是反思董事会以及改进董事会设计的关键时刻。第一步是尝试确定导致不当行为的原因。可以问以下问题：

> 是否由于一个或几个董事的经常性活动导致这些不当行为的出现？
> 我们需要向董事们提供个人的反馈意见,还是更换一或两名董事？
> 问题出于董事会的结构吗？董事会主席的行为方式需要改变吗？如果公司董事会主席兼任首席执行官,另设一名常务董事是否能够解决问题？
> 问题是否出在董事会利用时间的方式上？我们是否在董事会会议日程中安排了过多的内容,导致讨论时间被压缩,无法产生讨论结果？我们是否需要更多的会议时间？我们是否应该考虑让专业委员会承担更多的工作或设立其他的专业委员会？
> 问题是否出在董事会所掌握的公司信息和知识的数量或质量方面？我们是否需要增加董事获得信息的来源？增加一到两名熟悉公司业务的董事是否会有所帮助？

当行为模式出错时,董事会需要将这些问题作为范例进行探究。根据我们的经验,产生问题的原因可能不止一个。反思董事会的设计需要考察我们讨论过的所有设计要素。切记：董事会或任何其他决策群体的行为模式,是由我

第八章

们在本书中讨论过的设计系统内可变要素的互动所决定。改变行为模式需要考察董事会设计的所有方面，然后调整产生难题的那些部分。

第九章 开始行动

董事会永远是一个难题。它将一些兼职董事组合成群体,要求他们在非常有限的时间内共同完成极为艰巨的任务。然后,赋予这个机构的终极职责是保证国家最重要的经济资源被合理的运用和管理。这样一个看似不合理的机制如何才能奏效呢?

只有担任董事职务的人士对董事工作的专注投入才能够保证董事会机制奏效。因此,在最后一章里,我们将讨论人的问题。前进中的挑战是推动必要的变革使明天的董事会比今天的更有效率。我们将讨论你:作为一位董事会的成员,需要完成哪些工作以实现我们提出的变革建议。

我们将从不同的董事会成员的视角考察董事会所面临的关键挑战:独立董事、内部或执行董事以及董事会的领导人——公司首席执行官和(或)董事会主席、"常务董事"(公司首席执行官兼任董事会主席时)以及董事会下设专业委员会的领导者。无论具体角色是什么,董事们都应该通读

第九章

本章节。所有的董事们必须齐心协力推动这些变革,董事会的效率才能真正改善。

一、独立董事

让我们从独立董事开始,因为你们将在未来的董事会中占据多数派的地位。

保持独立性的关键在于保持整个董事会的独立。你们必须有意识的在实践和文化的发展过程中强调独立性的重要意义。换言之,独立董事同仁必须具有强烈的群体身份认同。实现这一目标的先决条件是独立董事们有一位独立的领导者,并且独立董事们可以经常单独召开会议。传递的信息应该是:"我们是一个独立的主体。我们尊重并欣赏管理层和公司的工作,但是我们必须保持独立的视角。"独立性必须成为董事会的基本选择。

你们可能经常发现:另一项义务,无论是以前的工作或现在的主要雇佣关系,或是另一个董事会的职务,与你当前的董事会职务有利益冲突。解决这个问题的办法是坦率承认冲突,并且从可能存在利益冲突的相关讨论和决策中退出。

如果你代表一位重要股东,将会遇到一个具体问题。你对自己的投资出自本能而关心,但对其他股东也负有责任。如果在你代表的股东和更多的股东之间存在利益冲突,则向董事会同事承认并解释这种潜在的冲突,如果感觉到这确实是利益冲突,你需要从相关讨论和决策中退出。当然,这并不排除你有权向整个董事会阐明为维护所代表的股东利益而应当采取的行动。这是所有股东都拥有的权利。

知识和时间方面的问题是什么？作为加入董事会的一名独立董事，你已经专注地投入董事会工作。你会得到一份很长的董事会职责清单，同时，作为依靠其他工作维持生计的兼职董事，你会发现为履行董事会的职责可利用的时间与有效地发挥自身作用所需要的知识之间很难取得平衡。这意味着你在加入董事会之前，应当认真考虑可用于董事会工作的时间。董事会成员要定期的参加董事会会议；还要利用董事会会议以外的时间与公司首席执行官和其他董事分别交谈。而且，我们知道每个董事会都难免会出现突发的事件或危机。这种情况下，你是否有时间或可能灵活的推掉其他工作任务，参加为解决这些问题而召开的特殊会议或作为某个特别委员会的成员完成类似的工作吗？

一位董事向我们讲述的其亲身经历耐人寻味。他参加了一个为选拔一位新公司首席执行官和两名董事而设立的特别委员会。在 6 个多月的时间里，为了参加与候选人见面的特别委员会会议，他不得不取消了很多其他事务安排。此外，还有晚上和周末与其他两名特别委员会成员进行电话会议的时间。最后，他估算投入到这项特殊任务上的时间大约等于 12 天。相当于一名典型的美国董事全年用在董事会工作上的所有时间。

记住，董事工作只会越来越复杂，要求越来越高。如果你现在用于董事会工作上的时间大约为每年 10 到 15 天，

第九章

以后可能需要大幅度增加工作时间。当公司业务遭遇困境或进行根本性变革时,你还需要投入更多的时间。

一个相关的挑战就是如何最有效地运用时间,尤其是如何积累和保持任职期间所了解的公司知识。不断地了解公司和研究公司重大问题是独立董事的职责。掌握的知识越多,你的工作就能更有成效。与公司董事会主席和董事会的同事们讨论你的"学习"经验——从公司管理层的介绍或公司外部的专家那里学习知识。如果新进入董事会时参加过的就职培训对你很有帮助,那么就要求每年都有一些类似的更新课程。除了按照常规渠道获得一般性信息之外,应更主动的在董事会会议以外的时间与公司的经理人员和业界其他人士进行交流(注意在这个过程中不要贬低公司首席执行官)。如果公司管理层在董事会感兴趣的领域也聘请了外部专家,董事会要认真听取他们的意见。董事们要使自己熟悉公司的经营运作。了解那些有培养前途的经理人员。通过与公司经理们的交流、浏览行业刊物、参加商品交易展览会和阅读分析师的报告了解竞争者和客户对公司的看法。了解投资者对公司的看法。

不要强求自己必须成为通才。时间将受到极大的制约,除非和董事会的同事们能一起分担工作,你对公司的总体认识充其量只能是表面的了解。与公司董事会主席和其他董事一起确定你特别感兴趣的领域,专注于这个领域成为专家。你会惊奇地发现,当深入探究某一个具体领域时,你对公司的整体认识反而更全面了。

开始行动

你可能会收到堆积如山的董事会"文件资料",但有多少能留下印象呢?按照本书第七章中的列表对照决定真正需要了解哪些信息。如果发现所提供的信息与所需要的信息之间存在巨大差距,鼓励公司管理层重新设计董事会的信息渠道和内容结构,但不要浪费管理层的宝贵时间进行"审查式的盘问"去寻找个人感兴趣但并非董事会核心工作的信息。确定是否可以使用相应的计算机技术更便捷地获得即时和持续的信息,包括被授权进入的一些公司数据库。

毋庸置疑你应该接受董事会的评估,并且董事会有权利——也有义务——辞退不能胜任的董事并认真评价整个董事会的运作状况。你不可能位于一家业绩优秀公司的高层却逃脱对业绩评估。留任董事会的再次提名也应该提交评议并得到独立董事们的认同。

董事犹如在一片复杂的水域中引导公司前行,仔细思考你应该如何参加董事会的讨论。只要你觉得必要,尽可能地提出任何疑问,但也要牢记自己是董事会群体的一部分。如果你感到被忽略或没有得到所希望的回答,会后与董事会主席心平气和地进行讨论。记住:始终尊重公司管理层。鼓励尽早暴露问题,绝对不要向暴露问题的人发难。

如果你的内心深处有某些事出了差错而不安的感觉,却没有坚持让管理层回答疑虑,就会像我们了解的一些董事所说的那样收场,"所有的直觉都告诉我这里的业务还有问题,但我担心继续提问会妨碍会议日程上的其他议题讨论,所以准时结束会议。"

第九章

最重要的是：更全面地考虑你希望和公司管理层以及董事会的同事们建立什么样的关系。找到彼此的契合点并不是一件容易的事情。显然，你不能是橡皮图章并且要与社会现在对董事的期望相吻合。另一方面，如果作风过于强硬而且盛气凌人，你不太可能与管理层及董事会的同事们建立有效的工作关系。你需要在董事会的讨论中扮演积极参与的角色——提出自己的观点，同时也倾听同事的想法。明确清晰地表达观点没有任何错误，而且非常正确。但也要努力倾听同事的意见；当别人的观点更有说服力的时候，如果你体面地放弃不会带来坏印象的。

还要牢记：无论是否愿意，只有首席执行官希望董事会发挥作用时，董事会才能真正有作用。定期反问自己首席执行官对董事会的态度是否坦诚？如果答案是否定的，则一定要在独立董事们单独讨论时将这个问题提出来。问题可能出在首席执行官一方，但也可能出在董事会一方。如果首席执行官对此负有责任，董事会应当对他施压要求坦诚。如果不愿改进，则可以考虑罢免他；如果你无法做到这些，就从董事会辞职以示抗议；这种情况下，董事会的地位岌岌可危，处于被替代的境地。

最后，随时保持警惕！当公司失败的时候，事后诸葛亮总认为独立董事没有发现即将来临的"明显"灾难迹象。如何能够及早发现企业出现危机的信号呢？或至少提高你发现潜在危机的可能性？反问自己：在小问题演化成大问题之前，你和其他董事是否在董事会会议上质疑过公司的战略方向？是否因一些危险信号而产生警惕，例如，公司的计划和预算方案被否决、不成功的并购、风险管理失败、被竞争者蚕食的市场份额以及没有给员工适当的培训？当这些问题演变到需要董事会采取行动时，是否意识到这一点？如果没有，你防范灾难的能力明显不足。

实际情况是：大多数场合下，董事个人很难发现灾难的"苗头"，更不用说控制问题进一步恶化。尽管如此，及时发现公司状况恶化的征兆是董事会一项核心任务，你需要和独立董事们及公司首席执行官之间进行坦诚的交流，开诚布公地讨论已经出现恶化苗头的问题。作为独立董事，你处于冷静观察公司的最佳位置，但也需要努力工作获得信息完成这些任务。

根据我们的经验，如果焦虑的董事们曾经坦率地交流过彼此对公司的隐忧，很多公司的失败原本可以避免。很多人围坐在董事会会议室桌旁感到很多细微问题正逐步恶化。但是，独立董事之间从未对这些问题进行讨论以化解忧虑，并切实了解是否有重大问题需要解决。

二、内部（执行）董事

作为一名内部董事，你在大多数董事会中属于少数派，但我们没有理由认为你正逐渐过时。相反，我们相信很多董事会（和股东）将继续从管理层（除了首席执行官之外）中间选拔几名成员加入董事会。如果你是一名公司的管理人员同时出任董事，铭记你和董事会的其他成员地位完全平

第九章

董事会的作用

等。董事会的职位不是对过去业绩的奖赏。如果你相信入选董事会的原因并非像其他董事那样是因为具有对董事会作出贡献的潜在能力，那么，我们建议最好尽快辞职，因为留任没有意义，你还会发现自己处于难以为继的境地。

我们假定你是因为具备为董事会作出贡献的才能而入选。在董事会成员中，仍然会面临一个与众不同的难题。你的上司，公司首席执行官，很可能也在董事会中担任主席职位。自由表达自己的想法，选择与他不同的立场相当困难。这是对独立性的考验，答案简单明了。在你同意加入董事会之前，应当与公司首席执行官进行交流达成共识：一旦成为董事会成员，你必须自由表达自己的看法，即便这些看法与他的观点不同。你们双方都认可彼此与董事会的其他成员一样具有同等的权利和义务；在董事会里，你不能以下属的身份活动。但也应该意识到，当董事会意见出现分歧时，你有责任在董事会会议以外的时间与首席执行官对话交流，并利用分歧推动整个董事会进行建设性的讨论。

达成这样的共识后，你应该能够比较自如地参与董事会讨论——而且应该有很多想法以供大家分享。和那些独立董事同仁相比，你掌握更多的公司情况，还能运用这些知识增进他们对公司的理解。

记住，作为一名经验丰富的董事，当公司首席执行官误导董事会或进行公司情况陈述时"闪烁其词"，你有义务保护董事会的同事们不受这种侵害。应当清楚你的最终职责是对董事会和公司负责。如果感觉到董事会总是被故意误导,你明显处于困难的境地。然而,既然接受了董事会的职务,你最终必须告诉董事会主席(如果他不是首席执行官)或常务董事你的担忧。

我们知道一群独立董事们曾经私下交流或在独立董事"执行会议"中辩论过是否应当辞退公司首席执行官。6个月之后,他们的确履行了这项提议:罢免了首席执行官。后来,公司留任的内部董事承认:一年多以前他就知道导致其老板下台的问题,但出于忠诚的考虑,他认为自己应该保持沉默。后来他为自己的所作所为向董事会的同事们道歉。

当出现利益冲突时,你当然要退出相应的会议,最常见的情形是评估公司首席执行官的业绩、管理层的薪酬和管理层继任方案的讨论。再次强调:不仅要事先与公司首席执行官和/或董事会主席坦诚交换看法,还要和其他董事会成员相互沟通,清楚了解这些问题的现状。总之,明确向所有的董事表明你能够发挥的作用。

三、董事会的领导人:董事会主席与首席执行官

作为公司董事会主席和/或首席执行官,你在董事会中的作用最重要。公司治理的任何失误都不可避免的会归因到你的工作。由你确定董事会工作的基调、控制董事会会议日程、决定董事会将评议哪些信息。正如我们所言,如果没有你的配合,董事会的工作不能成功。

无论是公司董事会主席或首席执行官或两者兼具一身,你对董事会的职责就是确保效率。这包括领导董事会

第九章

深入思考其作用和设计。董事会需要对公司业务了解多少,对公司业绩了解多少,董事会成员愿意为履行其职责奉献多少时间,最终决定了董事会的作用与设计这两个重要问题的决策。

除了最重要的领导任务之外,你的行为方式取决于是否兼任公司董事会主席和首席执行官。我们先讨论这两个职务由两个人分别担任的情形。

双方都需要明确自己的个人职务和义务。理论上,公司首席执行官是公司和管理层的领导者,董事会主席是董事会的领导者。这听起来很简单,但很多时候这两种职责相互重叠甚至彼此冲突。你们彼此清楚各自的职责是基本的要求。不过这可能很微妙,因为董事会和管理层作用之间的分界线本来就很模糊。

例如,如果你是公司董事会主席,你希望以怎样的积极性向首席执行官提供建议或审议通过他的决定呢?如果你是公司首席执行官,你希望董事会主席怎样参与公司事务呢?是向董事会主席个人汇报,还是向全体董事会汇报呢?安排董事会日程时每一方的作用是什么?显然,最后敲定工作日程是董事会主席的任务,但首席执行官也是重要的参与人,因为他最清楚哪些问题需要董事会进行讨论和决策。你们双方应当在这些问题上达成共识,彼此之间向对方和董事会清楚表明希望建立什么样的工作关系,并保证这种关系得以持续。如果对于各自的职责没有达成明确的共识,你们和董事会都注定会遇到麻烦。

如果是另一种情形：你既是公司董事会主席又是首席执行官——坦率地说，你面临着内在的冲突。不可否认，你会像鸡笼里的狐狸一样被提防。本质上，你正尝试领导董事会，而董事会的职责是监督你作为公司首席执行官的业绩，决定你的薪酬，最后，决定你的任期。

如果承担这两项领导职务是因为喜欢复杂的挑战，你作出了正确的选择！现在需要考虑怎样同时做好这两项工作。我们的建议是：首先，你自己必须清楚现实的处境具有怎样的复杂性。公司董事会主席和首席执行官的双重头衔可能让你自我感觉良好，并和其他公司的同仁一样风光，尤其是在美国。但是，假如你没有意识到将在这个复杂的关系网中工作，双方都可能面临失败。

你需要接受独立董事们必须有一位领导人。抗拒这一事实的时代已经结束了。理解这是正确的原则，你要努力在实践中贯彻这一原则。头衔并不重要——常务董事、首席董事甚至是专业委员会主席。真正重要的是这样一位委派的领导人确实存在，由独立董事们推选，由全体董事按照合法程序认可。外部世界有权利知道谁担任了这项职务。

所以，不要采取我们看到的一位公司首席执行官/董事会主席的做法：只要他还拥有选择的权利，只要没有公开暴露内情，他就不愿意接受设立一名常务董事的想法。勿需多说，可以明显感觉到公司首席执行官与常务董事之间的紧张气氛，后者只能小心翼翼的开展工作。

显然，你需要和常务董事合作，确定他的职责以及他和

第九章

你这个董事会主席之间的工作关系。你必须在界定各自角色的边界时做这项工作,但是,即便是在最佳实践的董事会,这个边界也是处于不断变化之中。以我们的观点看,这名常务董事的作用不是取代你的地位,而是在你不能或不应当领导董事会时,由他领导董事会。我们很快将详细讨论常务董事的任务。就这一问题,我们相信他们的任务是一个相对特殊、范围狭窄的工作,所以,全体董事会成员应当对此达成共识,包括你和常务董事。你需要定期反思对常务董事工作的理解,确信你了解董事会的同事们对这一安排的判断如何。

由于公司董事会主席(无论他是否担任首席执行官)对董事会的效率负责,你应当领导董事会定期对其自身的设计和业绩进行评议。关于评估,应当牢记一些问题。保持小规模的董事会,但确保它由具备相应经验和技能的人有机结合。考虑你们公司所需要的技能组合模式;每当进行新一轮董事提名时,公司治理委员会应该向全体董事征询意见,调查应当填补哪些技能缺口。探讨董事会是否应该考虑邀请一些不具备独立性,但能够为董事会增加有价值的知识资源的人加盟董事会。促使独立董事们承认这一问题,因为他们应当对任命一名不符合现在"独立性"定义的外部董事有良好的判断。

确定你了解董事会成员对于他们目前获得的信息有什么看法。信息是否能够满足其完成工作的需要?如果不是,应当进行哪些变革?你还需要确保董事会成员认可评估董事会履行最重要的监督、决策和建议等职责的方式。董事会是否发挥了期望的作用？董事会在实践中用于评议战略决策以及评价公司首席执行官、监督管理层更替的操作方法是否有效？如果答案是否定的，需要哪些改进？切记，你不需要自己回答所有这些问题。你的任务是让其他董事就这些问题达成共识。然后，才能鼓励进行任何所需要的变革。

对董事会业绩的评议必须包括对你担任董事会主席职务时履行职责状况的评估反馈。其他董事中的一位——常务董事或公司治理委员会主席——应当负责向其他董事和公司高层管理团队收集对你的反馈意见。这是在组织中树立榜样的机会；如果连你都对如何改进工作都不感兴趣，公司里其他人怎么可能重视业绩评估呢？

不要容忍业绩平庸的董事继续留任。准备解决请他们退出董事会的问题。这样的董事不仅仅是降低董事会的效率；公司的管理团队知道哪位董事业绩平庸，如果他们继续占据董事会的席位，这就反映出你及董事会效率太低。公司管理层不能有平庸者，董事会也一样，尽管这样做有时会引发一些难题。

坦白地讲：辞退一名董事绝非一个轻松的任务。但经验表明，诚实面对受到质疑的董事，告诉同事们对他业绩的担忧，通常对他也是一种解脱——一种感觉"知道你们这些人和我在一起不愉快，所以，最好我主动离开公司"。在这种情况下，诚实是最好的方法。

第九章

涉及业绩主题,应当利用一些时间考虑如何激励其他董事。很多董事会主席似乎假设所有的董事都有内在激励。其实不然。我们曾经说过,大多数董事基于为董事会服务可以学习更多知识的目的加盟董事会。但是,提供服务与做到最好是两件不同的事情。学习、声望和金钱可能足以激励一些董事,但我们中的大多数人需要得更多。董事们希望能够真实感受到他们正在作出贡献。他们希望感到不可替代。作为董事会的领导人,你必须设法让董事会投入的完成任务。让董事们都参与讨论,确保他们不受约束地提问,探究问题,提出建议。如果董事们感到他们受到了重视,会更加努力贡献自己的才智。像其他领导者一样,你的工作是创造出让董事们努力做好工作的氛围。如果太多的董事都像局外人那样消极地冷眼旁观,你需要检讨自己的领导方法是否出了问题。

作为董事会主席,你的工作方式可以促进坦诚的讨论,或是相反的结果。鼓励建设性的不同意见,以便重要的(赌注性业务)决策在没有敌意的辩论中得到充分论证。你甚至可以将这样的争议过程设计在董事会的工作程序之中。这方面的内容请参照我们在第五章中讨论过的特别委员会部分。

比尔·乔治(Bill George),美敦力公司的董事会主席兼首席执行官,写过他与一位持不同意见的董事打交道的经历。当时,除了这位董事以外,乔治和董事会其他成员都相信应该进行某项特别的并购业务。[1]然而,这位董事不断地在董事会会议讨论和私下与乔治的谈话中表明他对公司这项决策的担忧,他最终成功地说服了乔治——并购可能是个错误。乔治通告了董事会的其他成员,随后他们都同意公司不进行这项并购。你能想象这位董事坚持个人立场需要什么样的勇气吗?他顽强地表达自己的观点在一定程度上拯救了公司。

一个出色的董事会既支持也质疑公司管理层——你需要有高超的协调技巧实现这种困难的平衡。鼓励管理层在董事会会议中表达意见,坦率地回应董事们的评论。同时,也鼓励董事们认真倾听管理层的想法并尊重他们的意见。在正式的董事会议中或会议外,董事会都必须有与公司高层管理团队公开接触的渠道。

记住,你控制着大量有助于增进董事对公司了解的工具。最重要的是董事会会议的频率和日程安排——你的任务是创造足够的时间认真讨论重要问题(不仅仅是"介绍情况")。确保董事会全年需要讨论的战略问题写入工作年历,并落实到董事会会议的日程安排中。分配足够的时间对这些问题进行充分的讨论,这可能意味着某些董事会会议要持续一整天甚至更长的时间。确保董事会获得所需要的信息以了解问题,并对讨论提出建议。

一年6到8次会议,每次半天左右,可能无法保证董事会有充足的时间深入讨论公司面临的重大问题。相反,如果董事会每个月都开会,你能确信这么多的时间真正有必要么?"额外"的时间是用于重复每个月的常规活动,还是

第九章

用于讨论更有成效的问题呢？

如果是公司首席执行官，你必须努力使外部董事了解公司的业务模式。切记，很难让兼职的董事们领会和记住所有需要的业务知识。当你受到质疑时不要过分自我保护，当独立董事在不同的会议上重复提出同一个问题时，不要认为他们愚蠢或漫不经心。你需要帮助董事们定期进行知识更新。鼓励公司高层经理人员与董事会之间进行公开对话。千万不要忘记，如果董事会感到因管理层大量"隐瞒事实真相"而被欺骗时，即使最温和的董事会也可能作出激烈的反应。无论消息好坏，尽快坦率地向董事会汇报。

如果你的管理层同事也在董事会担任董事，切记，我们曾经告诫过，他们在董事会的职务和管理层的职务是不同的身份。向他们表明你也理解这一点，并希望他们自由地表达意见。他们进入董事会不是成为你的影子，而是一个独立的角色。

在世界的很多地方，公司可能由一个很大的家族股东控制，人们普遍认为董事会也是为这个大股东服务。按照所处的地区，公司治理标准——特别是对待少数股东的规定——可能是其他投资者最为关注的话题。这可能会降低公司在国际资本市场上的吸引力。你应该怎样解决这一问题呢？

很多人将告诉你必须增加更多的独立董事以保证少数股东的利益。政府可能也朝这个方向立法和管制，但你这里仍然有不少难题。经验丰富的独立董事非常稀缺。何况,很多人会坚持认为——无论这是否公平——董事会中的独立董事仍然受主要家族股东利益的影响。

作为董事会的领导者,你对于其他董事针对改进公司治理的各种需要和要求如何作出反应有关键性的影响。一方面,你可以决定根据公司治理"统一标准"只采取强制性要求的措施;另一方面,你也可以认真地进行董事会设计,领导一个真正有效率的董事会。虽然你不能,也不应当忽视外界对董事会改革的压力,我们仍然希望你能致力于建设一个现实中可能存在的最佳董事会。我们提出的董事会设计方法只是提供了董事会设计的一些工具,但最终需要你和董事会同事们投入时间和精力去完成设计。作为董事会的领导者,你必须确定董事会设计的基调。

最后,无论你只担任公司董事会主席还是兼任董事会主席和首席执行官,也不管你的工作权限有多大,作为董事会领导者,成功的关键是建立信任。开诚布公的对话对你的成功至关重要。如果我们只能提出一条建议,那就是努力促成董事会成员之间以及董事会与管理层之间的坦诚沟通。这是董事会建立理解和信任的最好保证。

四、领导独立董事:常务董事与专业委员会主席

与公司董事会主席以及首席执行官一样,你也对领导董事会负有全部的责任。尤其是在公司董事会主席兼任首席执行官的情况下,你负责在全体董事会会议和董事会下设的专业委员会工作中领导所有的独立董事。

第九章

你的工作应当从与董事会主席、首席执行官和其他董事就工作职责达成共识时开始。如果你是"常务董事"或专业委员会主席（在英国你可能被称为"高级独立董事"），明确阐述你的职责。正式写出来是个不错的主意。与董事会同事们一起合作完成这项任务。如果没有明确定义工作职责，你的努力可能与其他董事、董事会主席和首席执行官期望不一致，导致你和董事会的其他领导者之间出现冲突。如果你是常务董事，与公司董事会主席/首席执行官就工作职责达成明确共识，并获得其他董事会同事的支持极为重要。

我们在第五章曾经指出：常务董事的首要职责就是组织和协调非执行董事的会议。应当把这类会议安排成董事会日常工作的一部分，以免公司首席执行官和管理团队产生不必要的担心。如果准备召集独立董事的特别会议时，切记你并不是被委派为"代主席"或损害董事会主席的权威。你的主要任务是促进独立董事之间的讨论，使他们关注公司和董事会应当如何管理。只有在极端的情况下，例如，公司董事会主席和首席执行官不能或不应当介入某些事项时，你才能成为第一负责人。

当然，在讨论这些事项的会议结束后，你应该向公司董事会主席/首席执行官提供相关的反馈。如果有可能，首席执行官与整个董事会随后应当共同讨论这些议题。我们重申：开诚布公的交流应该是你努力的方向。如果你发现自己像特使一样不停地穿梭于公司董事会主席/首席执行官和其他董事之间,肯定是缺乏适当的交流机制。努力找出原因,建立坦诚的沟通机制正是你的职责所在。

每一个董事会应当设立专门的程序选拔三个主要专业委员会的领导人——审计、薪酬和公司治理(提名)委员会——以及其他的专业委员会。在董事会没有独立董事主席的情况下,你作为独立董事的领导者,应该参与任命专业委员会领导人以及分派董事进入这些委员会的决策,你还要确保完全由公司治理委员会作出这些决策。期望这些专业委员完成的任务是监督管理层,保证董事会的独立性,这就必然要求你确保管理层没有消极的影响这些决策。你有责任保证这些专业委员会的领导人、成员以及专业委员会本身能够真正独立。

董事会最重要的任务是评估首席执行官吗?这是有争议的。独立董事们应该决定如何评估以及由谁主持评估程序。我们在第七章中说过,在很多董事会,对首席执行官的评价只出现在薪酬委员会对首席执行官薪酬方案讨论报告的后记里。因此,很多董事没有针对首席执行官的业绩进行任何有意义的讨论。独立董事必须就谁负责主持对首席执行官的业绩评估程序达成共识——可能是你和/或公司治理委员会或薪酬委员会的主席。无论你们谁承担这项工作,只要明确谁是负责人即可。然后,给所有外部董事参与评估程序的机会。

如果你是某个专业委员会的主席,就需要考虑几个领导方面的问题。首先,我们迫切希望你避免走大多数专业

第九章

委员会主席的老路。作为专业委员会主席，他们假定承担专业委员会的所有工作是自己的义务。他们宁愿自己做全部工作，而不是让其他专业委员成员参与其中。他们认为专业委员会的其他成员出席会议、表达观点、提出建议就足够了。在要求专业委员会承担更多工作的情况下，这种方式产生的问题是：专业委员会主席成为支配性力量。

解决这些问题的方法是什么？希望并要求其他成员主要负责专业委员某些专业领域的工作。这会提高你作为董事会主席的工作效率，也能鼓励董事会同事真正投入到专业委员的工作之中。

你必须解决的第二个问题是处理好专业委员会与相应专业领域管理者之间的关系。例如，财务总监和审计委员会；人力资源总监和薪酬委员会；公司的法律顾问以及秘书们与治理委员会。显然，这些管理者掌握的知识和信息对于相关专业委员会的工作至关重要。应该邀请他们参加专业委员会会议并提供这些信息。然而，你的责任在于保证他们的参与不会影响专业委员会的独立性。这有些像走钢丝，但在获得管理层必要信息支持的同时，专业委员会必须保持自身的独立性。

还要提防我们在很多董事会看到的实际情况：负责协助专业委员会工作的公司经理写好"草稿"，供专业委员会主席向整个董事会汇报时使用。我们坚信，每一个专业委员会应该向整个董事会汇报讨论结果以及建议董事会采取的行动。[2] 但是，这些报告必须反映独立董事们在专业委员会提出的意见,而不是管理层的看法。即便是公司管理层善意帮助专业委员会,也可能无意间损害其独立性。

最后,如果你是某个核心委员会的主席,你需要特别留意不断变化的规则和投资者不断增长的要求是否增加了对专业委员会的期望。一些对专业委员会的要求看起来难以实现。我们怀疑这些期望是否真的难以实现,但是,你的领导职责的核心部分,就是确定在可利用的时间内怎样尽力满足这些新的期望。

五、 结束语:董事会的未来

我们这本书的标题(董事会的作用与效率)试图强调董事会需要反思其作用与实践——局部细节的调整是不够的。显然,董事会的设计在很多方面存在缺陷,董事会的实践仍然囿于过时的传统。现在正是认真反思的时候。

这样的努力值得吗?一些人论证上市公司董事会的前景黯淡,可能被业绩昭然的其他直接股权投资人所替代,如私募股权投资基金和风险投资基金。[3] 当然,这些形式的投资和所有权形式确实处于增长期。而且,在很多国家,大多数公司为私人资本所拥有,无论是家族控制或其他团体控制。[4] 因而,我们讨论的上市公司模式下的董事会类型,与世界经济中的很大一部分公司的治理结构并不一致。不过,公开上市公司仍然是现代经济中最核心的组织形式。而且,风险投资、私募资本与其他的私人公司也有由董事组成的董事会,尽管他们可能完全是"实际管理"自己的企业,

第九章

并采取上市公司通常所不允许的方式提高公司效率。他们的董事会成员无须避免利益冲突；因为管理层和董事的角色之间没有可见的明显区别（由于董事通常作为准管理层负责公司经营）。这些董事会为我们反思上市公司董事参与公司管理的程度提出了挑战。

还有人论证"独立"董事会的提法应该废除，因为其独立性根本无法实现。[5] 我们不同意这个观点。的确，上市公司的董事会不是一个完美机构，需要努力实现投资者和监管机构的期望。但目前还没有其他可行的替代措施，所以我们必须尽最大的努力完善这个公司治理工具。本书关注的重点是使独立董事会更好地完成工作任务。

我们曾经论证过董事会的任务非常艰巨。遗憾的是，有关公司治理的争论对这一事实一直没有清醒的认识。针对董事会业绩的评论似乎相信，董事会需要做的全部工作就是意识到自己的职责，更严格的定义"独立性"，并增加独立董事的比例。然而，我们相信，低估董事会任务的难度反而会增加失败的风险。相反，我们希望公司治理争议的核心问题，是董事会面临的真实业绩挑战。

如果我们承认董事们不一定具备履行一长列职责清单所需要的时间和充足的知识，处境可能会更好。即使董事会投入更多的时间工作，这个问题仍然存在。我们只有承认这个事实，才能迅速地采取所有可能的行动解决这个问题。因此，如果说以前和现在董事会治理的主题是"独立性与联盟"，今后的主题将是更有效地管理"可利用时间"和

"必备知识"之间的不对称关系。"独立性与联盟"的观念曾经极大地影响了董事会实践的演变。如果我们投入同样的精力直接应对利用时间和完善知识的挑战,在未来10年中我们将看到董事会内部会有一些真正的改善。

未来成功的董事会将致力于有效运用时间和知识这两类稀缺资源,并努力提高工作成效。在一定的时间投入前提下,他们能够更充分地认识和理解公司现状。他们的领导结构、新董事的选拔途径、董事会工作的组织和分配方式以及培育董事会和管理层关系的方式——所有的这些问题都在可用于完成工作任务的时间内通过优化董事的知识和理解的设计予以解决。每一个董事会都需要探索能够适应具体情况的最佳解决方案,寻找提高董事会理解和参与公司运作能力的方法。这将使大胆的设想和实验成为必然。

本书中我们概述了董事会可以采纳的很多方法。我们相信,未来有效率的董事会将与现在完全不同——他们的作用有更多的差异性、更富有变化,董事会的设计更少受教条的支配。未来的董事会将是真正的多元化能力有机组合,董事之间的角色更加专业化,并建立起基于信任的平等合作关系。

但是,我们也知道董事会的效率主要取决于董事们的行为。公司治理的积极推动者与监管者最关注公司治理结构与程序,董事们必须留意他们的关注点。但是,世界上所有的治理规则都无法治理董事会会议室大门背后的行为。现在应当承认董事会正肩负着巨大的责任,理解并不存在

第九章

的普遍适用"正确"答案。上市公司仍然是经济发展的主要推动力,董事会对保持上市公司的运转有决定性作用。董事们不能忽视外部改革要求,但是,他们必须警惕最佳企业实践者不能或不愿接受的那些过于简单化与惩罚性的要求有立足之地。当董事们反思如何设计21世纪高效率的公司董事会时,他们需要创造性的思考,寻找合适的解决思路。

我们理解董事会远非一个完美的机构。他们正在艰难的奋斗而且将继续这样奋斗。我们需要众多的董事会齐心协力在世界范围内完善这个重要的机构。希望本书能够对读者有所启发。对我们而言,这是向所有的资本主义形式演进的最佳路径。

附录：对公司首席执行官的调查

为准备本书的写作，我们对上市公司的首席执行官进行调查，以获取他们对非执行董事的看法。选择调查首席执行官，是因为他们对董事会的看法与文献资料中越来越多的结论形成反差。针对董事会结构和实践的有价值调查很多，还有确定非执行董事对有关董事会实践和业绩的各种问题观点的调查。然而，极少有针对公司首席执行官的调查。

首席执行官的看法在公司治理争议中有非常重要的价值。这些人在董事会中发挥着重要作用，他们对非执行董事能否适当地完成任务有关键性影响，他们在公司中的特殊地位非常有利于深入观察非执行董事的工作。

我们的挑战是了解董事会会议室大门背后的真相。我们希望询问公司首席执行官一些事关董事会效率的棘手问题——包括公司的董事是否了解业务、是否努力工作、是否能够在董事会会议之后回忆起以往讨论过的事项等。我们知道如果询问此类问题并以邮寄方式将调查问卷发放给首席执行官，就别指望他们回复。

附录

我们决定与首席执行官进行面对面的交谈,通过我们的交往渠道与他们接触,但更多是通过波士顿咨询集团遍布全球的合伙人,他们将作为自己客户的公司首席执行官介绍给我们。大约有150名公司首席执行官以这种方式与我们会面。我们告知这次调查的目的以及我们正在进行的工作,然后给他们看调查问卷,询问他们是否愿意参与匿名的调查活动。最终收到来自世界各地的132份调查问卷反馈结果,它们几乎囊括了各行业最有影响力的公司——来自标准普尔500家公司、英国金融时报全球证券指数100家公司(FTSE 100)、澳大利亚股票交易所50家公司(ASX 50)以及一些各行业最大的和最卓越的公司。

无须多说,非常感谢参与这次调查的公司首席执行官,以及为我们牵线搭桥的同事们。这些公司首席执行官的看法增加了本书中讨论的公司治理问题的重要性以及新颖的观察视角,这不仅因为他们在公司中的独特角色,也是由于他们在调查中所倡导的某些立场出乎我们的意料。

我们于2001年开展这项调查,此时恰好在公司治理丑闻及其随后新闻媒体铺天盖地的负面报道之前。在当时的背景下,一些反馈尤其引起了我们的注意。例如,远在安然公司丑闻暴露之前,首席执行官们已经相信非执行董事们处境艰难,并且首席执行官们也怀疑以风险为基础的董事会薪酬支付方式的优点。

强调一点,我们调查的样本规模不大,而且,给予反馈的国家数量分布"不均衡"(例如,法国的公司首席执行官比德国的多)。不过,我们认为调查的结果耐人寻味并富有启发性。接近一致的反馈回答引起关注,也是我们未曾预料到的。几乎每一个问题不同地理区域的首席执行官的反馈是惊人的相似。这使我们有信心在本书中使用这些数据。

应当指出,所调查的132名首席执行官并非必然只在132个公司董事会任职,许多人还在其他董事会担任非执行董事。事实上,他们很可能表达了一大批董事的共同看法,大概能达到1000~2000名董事的规模。

收到调查问卷反馈的地区构成如下:

- 北美46份(美国41份、加拿大5份)
- 欧洲55份(英国16份、法国14份、西班牙8份、德国4份、瑞典4份、丹麦4份、荷兰4份、瑞士1份)
- 亚洲太平洋地区31份(澳大利亚15份、韩国8份、印度4份、泰国2份、香港1份、印度尼西亚1份)

调查并没有包括日本公司的首席执行官,因为到目前为止,日本公司几乎没有外部董事。另一方面,韩国最大的一些公司现在已经有法律义务设立外部董事,并且这些公司的董事会有从全部"内部董事"过渡到"外部董事"占多数席位的多年经验。

下面是调查问卷及其结果,由总体回答结果、三个地区回答结果(北美、欧洲和亚太地区)组成,但在某些表格中,我们将亚洲与澳大利亚(亚太地区)分别统计。

附录

图 A-1

命题 A-1：非执行董事们（NEDs）必须了解什么是企业经营成功的驱动因素

全体首席执行官的回答(%)

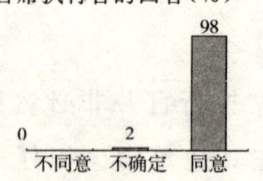

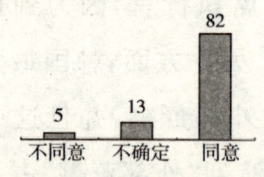

不同意 0　不确定 2　同意 98

不同地区首席执行官的回答(%)

地区	不同意	不确定	同意
北美	0	2	98
欧洲	0	4	96
亚太	0	0	100
合计	0	2	98

注释：首席执行官们的回答分为 5 个等级，从 1（完全不同意）到 5（完全同意）。我们将 1 和 2 视为"不同意"，4 和 5 视为"同意"

　　　NED ＝ 非执行董事

资料来源：波士顿咨询公司、哈佛商学院"全球 132 名首席执行官调查 2001"（命题 A-1）

图 A-2

命题 A-2：非执行董事们（NEDs）除了提出有见地的问题外还应当更有作为；他们必须有足够的信息对经理层的看法提出异议

全体首席执行官的回答(%)

不同意 5　不确定 13　同意 82

不同地区首席执行官的回答(%)

地区	不同意	不确定	同意
北美	2	22	76
欧洲	7	9	84
亚太	3	7	90
合计	5	13	82

注释：首席执行官们的回答分为 5 个等级，从 1（完全不同意）到 5（完全同意）。我们将 1 和 2 视为"不同意"，4 和 5 视为"同意"

　　　NED ＝ 非执行董事

资料来源：波士顿咨询公司、哈佛商学院"全球 132 名首席执行官调查 2001"（命题 A-2）

图 A-3

命题 A-3：在多元化业务的公司中，非执行董事们（NEDs）必须了解每一个业务经营单位的主要战略问题

全体首席执行官的回答（%）

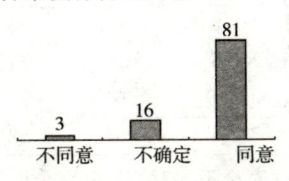

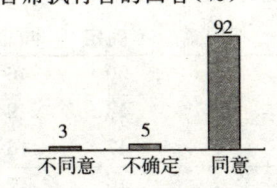

- 不同意：3
- 不确定：16
- 同意：81

不同地区首席执行官的回答（%）

地区	不同意	不确定	同意
北美	2	22	76
欧洲	4	18	78
亚太	3	3	94
合计	3	16	81

注释：首席执行官们的回答分为5个等级，从1(完全不同意)到5(完全同意)。我们将1和2视为"不同意"，4和5视为"同意"
NED = 非执行董事

资料来源：波士顿咨询公司、哈佛商学院"全球132名首席执行官调查2001"（命题A-3）

图 A-4

命题 A-4：非执行董事们（NEDs）必须有充分的信息决定公司的主要战略行动

全体首席执行官的回答（%）

- 不同意：3
- 不确定：5
- 同意：92

不同地区首席执行官的回答（%）

地区	不同意	不确定	同意
北美	0	4	96
欧洲	4	4	92
亚太	7	7	86
合计	3	5	92

注释：首席执行官们的回答分为5个等级，从1(完全不同意)到5(完全同意)。我们将1和2视为"不同意"，4和5视为"同意"
NED = 非执行董事

资料来源：波士顿咨询公司、哈佛商学院"全球132名首席执行官调查2001"（命题A-4）

附录

图 A-5

命题 A-5：非执行董事们（NEDs）必须了解公司高级经理候选人的品质

全体首席执行官的回答(%)

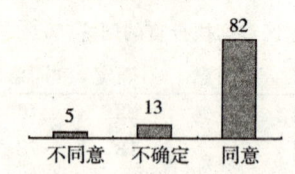

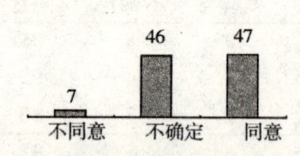

不同意 5 ／ 不确定 13 ／ 同意 82

不同地区首席执行官的回答(%)

地区	不同意	不确定	同意
北美	2	0	98
欧洲	5	24	71
亚太	10	13	77
合计	5	13	82

注释：首席执行官们的回答分为 5 个等级，从 1（完全不同意）到 5（完全同意）。我们将 1 和 2 视为"不同意"，4 和 5 视为"同意"

NED = 非执行董事

资料来源：波士顿咨询公司、哈佛商学院"全球 132 名首席执行官调查 2001"（命题 A-5）

图 A-6

命题 B-1：非执行董事们（NEDs）了解驱动公司每一项主营业务业绩的关键因素

全体首席执行官的回答(%)

不同意 7 ／ 不确定 46 ／ 同意 47

不同地区首席执行官的回答(%)

地区	不同意	不确定	同意
北美	4	50	46
欧洲	9	42	49
亚太	7	47	46
合计	7	46	47

注释：首席执行官们的回答分为 5 个等级，从 1（完全不同意）到 5（完全同意）。我们将 1 和 2 视为"不同意"，4 和 5 视为"同意"

NED = 非执行董事

资料来源：波士顿咨询公司、哈佛商学院"全球 132 名首席执行官调查 2001"（命题 B-1）

图 A-7

命题 B-2：非执行董事们（NEDs）为参加董事会会议做好了充分准备

全体首席执行官的回答（%）

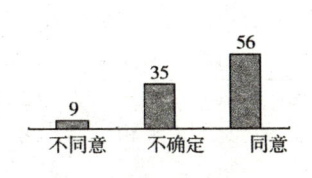

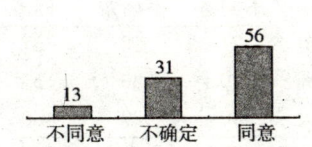

不同意 9　不确定 35　同意 56

不同地区首席执行官的回答（%）

地区	不同意	不确定	同意
北美	2	41	57
欧洲	11	36	53
亚太	17	23	60
合计	9	35	56

注释：首席执行官们的回答分为5个等级，从1（完全不同意）到5（完全同意）。
我们将1和2视为"不同意"，4和5视为"同意"
NED ＝ 非执行董事

资料来源：波士顿咨询公司、哈佛商学院"全球132名首席执行官调查2001"
（命题 B-2）

图 A-8

命题 B-3：无须公司管理层反复提醒，非执行董事们（NEDs）能够回想起上次董事会会议所讨论的内容

全体首席执行官的回答（%）

不同意 13　不确定 31　同意 56

不同地区首席执行官的回答（%）

地区	不同意	不确定	同意
北美	20	28	52
欧洲	9	31	60
亚太	10	37	53
合计	13	31	56

注释：首席执行官们的回答分为5个等级，从1（完全不同意）到5（完全同意）。
我们将1和2视为"不同意"，4和5视为"同意"
NED ＝ 非执行董事

资料来源：波士顿咨询公司、哈佛商学院"全球132名首席执行官调查2001"
（命题 B-3）

附录

图 A-9

命题 B-4：在董事会的讨论中，非执行董事们（NEDs）经常提出一些重要的新看法

全体首席执行官的回答（%）

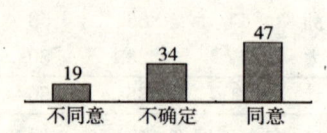

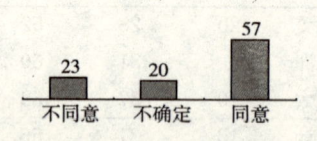

	不同意	不确定	同意
	19	34	47

不同地区首席执行官的回答（%）

地区	不同意	不确定	同意
北美	11	24	65
欧洲	24	40	36
亚太	23	37	40
合计	19	34	47

注释：首席执行官们的回答分为 5 个等级，从 1（完全不同意）到 5（完全同意）。我们将 1 和 2 视为"不同意"，4 和 5 视为"同意"
NED = 非执行董事

资料来源：波士顿咨询公司、哈佛商学院"全球 132 名首席执行官调查 2001"（命题 B-4）

图 A-10

命题 B-5：非执行董事们（NEDs）认同他们制定公司重大决策角色的职责

全体首席执行官的回答（%）

	不同意	不确定	同意
	23	20	57

不同地区首席执行官的回答（%）

地区	不同意	不确定	同意
北美	21	12	67
欧洲	20	25	55
亚太	30	20	50
合计	23	20	57

注释：首席执行官们的回答分为 5 个等级，从 1（完全不同意）到 5（完全同意）。我们将 1 和 2 视为"不同意"，4 和 5 视为"同意"
NED = 非执行董事

资料来源：波士顿咨询公司、哈佛商学院"全球 132 名首席执行官调查 2001"（命题 B-5）

图 A-11

命题 B-6：非执行董事们（NEDs）花费了足够时间考察管理层以判断经理人员的去留问题

全体首席执行官的回答（%）

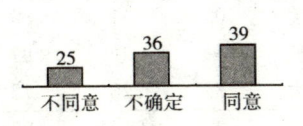

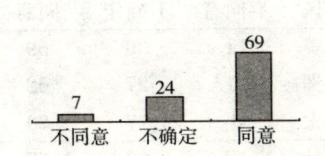

不同意	不确定	同意
25	36	39

不同地区首席执行官的回答（%）

地区	不同意	不确定	同意
北美	13	24	63
欧洲	33	47	20
亚太	32	34	34
合计	25	36	39

注释：首席执行官们的回答分为 5 个等级，从 1（完全不同意）到 5（完全同意）。我们将 1 和 2 视为"不同意"，4 和 5 视为"同意"。
NED = 非执行董事

资料来源：波士顿咨询公司、哈佛商学院"全球 132 名首席执行官调查 2001"（命题 B-6）

图 A-12

命题 B-7：非执行董事们（NEDs）在董事会会议上集中讨论重要问题

全体首席执行官的回答（%）

不同意	不确定	同意
7	24	69

不同地区首席执行官的回答（%）

地区	不同意	不确定	同意
北美	4	33	63
欧洲	7	17	76
亚太	10	27	63
合计	7	24	69

注释：首席执行官们的回答分为 5 个等级，从 1（完全不同意）到 5（完全同意）。我们将 1 和 2 视为"不同意"，4 和 5 视为"同意"。
NED = 非执行董事

资料来源：波士顿咨询公司、哈佛商学院"全球 132 名首席执行官调查 2001"（命题 B-7）

附录

图 A-13

命题 B-8：非执行董事们（NEDs）提出了建设性的意见，以这种方式积极支持管理层

全体首席执行官的回答（%）

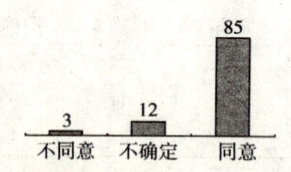

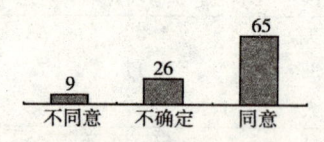

- 不同意：3
- 不确定：12
- 同意：85

不同地区首席执行官的回答（%）

地区	不同意	不确定	同意
北美	0	11	89
欧洲	4	9	87
亚太	7	20	73
合计	3	12	85

注释：首席执行官们的回答分为5个等级，从1（完全不同意）到5（完全同意）。我们将1和2视为"不同意"，4和5视为"同意"
NED = 非执行董事

资料来源：波士顿咨询公司、哈佛商学院"全球132名首席执行官调查2001"（命题 B-8）

图 A-14

命题 B-9：董事会的讨论为管理层指出了明确的方向

全体首席执行官的回答（%）

- 不同意：9
- 不确定：26
- 同意：65

不同地区首席执行官的回答（%）

地区	不同意	不确定	同意
北美	11	30	59
欧洲	11	27	62
亚太	3	17	80
合计	9	26	65

注释：首席执行官们的回答分为5个等级，从1（完全不同意）到5（完全同意）。我们将1和2视为"不同意"，4和5视为"同意"
NED = 非执行董事

资料来源：波士顿咨询公司、哈佛商学院"全球132名首席执行官调查2001"（命题 B-9）

对公司首席执行官的调查

图 A-15

命题 B-10：非执行董事们（NEDs）定期考察已经审议通过的决议是否已实施

全体首席执行官的回答(%)

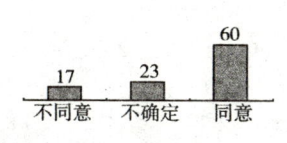

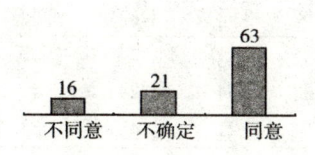

不同意 17
不确定 23
同意 60

不同地区首席执行官的回答(%)

地区	不同意	不确定	同意
北美	17	22	61
欧洲	18	20	62
亚太	13	30	57
合计	17	23	60

注释：首席执行官们的回答分为 5 个等级，从 1（完全不同意）到 5（完全同意）。
我们将 1 和 2 视为"不同意"，4 和 5 视为"同意"
NED ＝ 非执行董事
资料来源：波士顿咨询公司、哈佛商学院"全球 132 名首席执行官调查 2001"
（命题 B-10）

图 A-16

命题 C-1：非执行董事们（NEDs）必须花费更多的工作时间用于了解公司业务、公司的人员以及公司所处的行业知识

全体首席执行官的回答(%)

不同意 16
不确定 21
同意 63

不同地区首席执行官的回答(%)

地区	不同意	不确定	同意
北美	18	25	57
欧洲	13	20	67
亚太	20	17	63
合计	16	21	63

注释：首席执行官们的回答分为 5 个等级，从 1（完全不同意）到 5（完全同意）。
我们将 1 和 2 视为"不同意"，4 和 5 视为"同意"
NED ＝ 非执行董事
资料来源：波士顿咨询公司、哈佛商学院"全球 132 名首席执行官调查 2001"
（命题 C-1）

附录

图 A-17

命题 C-2：为应对复杂性，非执行董事们（NEDs）之间应当进行专业任务分工，而不是每个董事都参与所有的工作

全体首席执行官的回答(%)

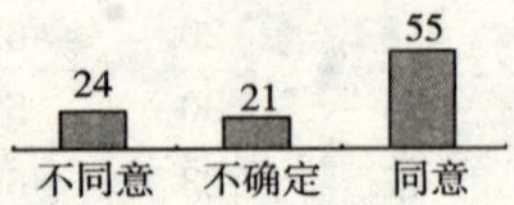

	不同意	不确定	同意
	24	21	55

不同地区首席执行官的回答(%)

地区	不同意	不确定	同意
北美	24	20	56
欧洲	29	24	47
亚太	17	17	66
合计	24	21	55

注释：首席执行官们的回答分为 5 个等级，从 1（完全不同意）到 5（完全同意）。我们将 1 和 2 视为"不同意"，4 和 5 视为"同意"
NED = 非执行董事

资料来源：波士顿咨询公司、哈佛商学院"全球 132 名首席执行官调查 2001"（命题 C-2）

图 A-18

命题 C-3：非执行董事们（NEDs）应当在董事会会议以外花费更多的时间了解公司的雇员、客户以及供应商

全体首席执行官的回答(%)

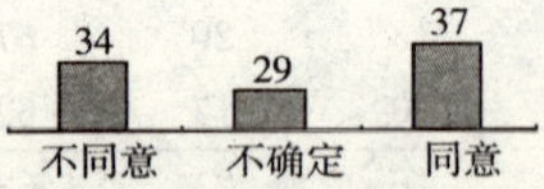

	不同意	不确定	同意
	34	29	37

不同地区首席执行官的回答(%)

地区	不同意	不确定	同意
北美	41	24	35
欧洲	34	24	42
亚太	21	48	31
合计	34	29	37

注释：首席执行官们的回答分为 5 个等级，从 1（完全不同意）到 5（完全同意）。我们将 1 和 2 视为"不同意"，4 和 5 视为"同意"
NED = 非执行董事

资料来源：波士顿咨询公司、哈佛商学院"全球 132 名首席执行官调查 2001"（命题 C-3）

对公司首席执行官的调查

图 A-19

命题 C-4：需要强化业绩评估，让业绩差的董事离职

全体首席执行官的回答（%）

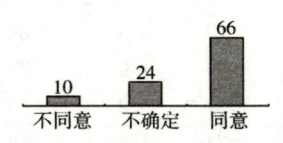

	不同意	不确定	同意
	10	24	66

不同地区首席执行官的回答（%）

地区	不同意	不确定	同意
北美	15	30	55
欧洲	9	25	66
亚太	3	13	84
合计	10	24	66

注释：首席执行官们的回答分为 5 个等级，从 1（完全不同意）到 5（完全同意）。
我们将 1 和 2 视为"不同意"，4 和 5 视为"同意"
NED ＝ 非执行董事
资料来源：波士顿咨询公司、哈佛商学院"全球 132 名首席执行官调查 2001"
（命题 C-4）

图 A-20

命题 C-5：应当要求外部董事拥有一定数量的与其利益相关的公司股票

全体首席执行官的回答（%）

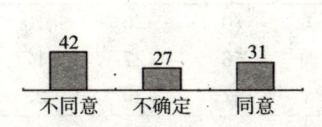

	不同意	不确定	同意
	42	27	31

不同地区首席执行官的回答（%）

地区	不同意	不确定	同意
北美	35	26	39
欧洲	56	24	20
亚太	32	34	34
合计	42	27	31

注释：首席执行官们的回答分为 5 个等级，从 1（完全不同意）到 5（完全同意）。
我们将 1 和 2 视为"不同意"，4 和 5 视为"同意"
NED ＝ 非执行董事
资料来源：波士顿咨询公司、哈佛商学院"全球 132 名首席执行官调查 2001"
（命题 C-5）

附录

图 A-21

命题 C-6：外部董事的报酬应当有很大的风险性：以股票与期权形式支付

全体首席执行官的回答(%)

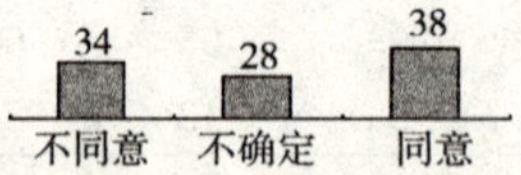

不同意 34　不确定 28　同意 38

不同地区首席执行官的回答(%)

地区	不同意	不确定	同意
北美	13	35	52
欧洲	49	25	26
亚太	37	23	40
合计	34	28	38

注释：首席执行官们的回答分为 5 个等级，从 1(完全不同意)到 5(完全同意)。我们将 1 和 2 视为"不同意"，4 和 5 视为"同意"
NED ＝ 非执行董事

资料来源：波士顿咨询公司、哈佛商学院"全球 132 名首席执行官调查 2001"
（命题 C-6）

图 A-22

命题 C-7：应当缩小董事会的作用与职责范围以便工作更有效率

全体首席执行官的回答(%)

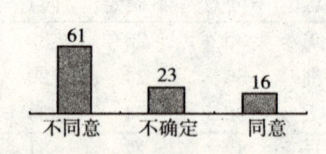

不同意 61　不确定 23　同意 16

不同地区首席执行官的回答(%)

地区	不同意	不确定	同意
北美	70	20	10
欧洲	56	27	17
亚太	57	20	23
合计	61	23	16

注释：首席执行官们的回答分为 5 个等级，从 1(完全不同意)到 5(完全同意)。我们将 1 和 2 视为"不同意"，4 和 5 视为"同意"
NED ＝ 非执行董事

资料来源：波士顿咨询公司、哈佛商学院"全球 132 名首席执行官调查 2001"
（命题 C-7）

图 A-23

命题 C-8：未来，董事会应当更多地关注所有利益相关者，而不仅仅是股东利益

全体首席执行官的回答(%)

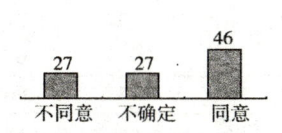

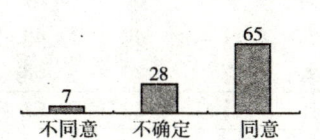

不同意	不确定	同意
27	27	46

不同地区首席执行官的回答(%)

地区	不同意	不确定	同意
北美	26	30	44
欧洲	36	27	37
亚太	13	20	67
合计	27	27	46

注释：首席执行官们的回答分为5个等级，从1(完全不同意)到5(完全同意)。
　　　我们将1和2视为"不同意"，4和5视为"同意"
　　　NED = 非执行董事

资料来源：波士顿咨询公司、哈佛商学院"全球132名首席执行官调查2001"
　　　（命题 C-8）

图 A-24

命题 C-9：董事会需要更多的具有不同背景的董事

全体首席执行官的回答(%)

不同意	不确定	同意
7	28	65

不同地区首席执行官的回答(%)

地区	不同意	不确定	同意
北美	7	31	62
欧洲	5	33	62
亚太	10	14	76
合计	7	28	65

注释：首席执行官们的回答分为5个等级，从1(完全不同意)到5(完全同意)。
　　　我们将1和2视为"不同意"，4和5视为"同意"
　　　NED = 非执行董事

资料来源：波士顿咨询公司、哈佛商学院"全球132名首席执行官调查2001"
　　　（命题 C-9）

附录

图 A-25

命题 D-1：董事会逐渐增强了监控公司的力度

全体首席执行官的回答（%）

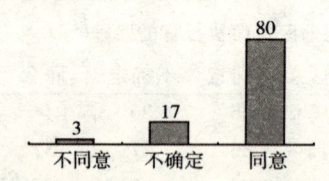

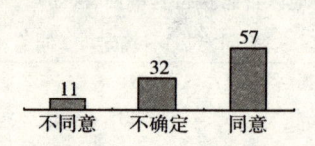

- 不同意：3
- 不确定：17
- 同意：80

不同地区首席执行官的回答（%）

地区	不同意	不确定	同意
北美	2	17	81
欧洲	0	13	87
亚太	7	27	66
合计	3	17	80

注释：首席执行官们的回答分为 5 个等级，从 1（完全不同意）到 5（完全同意）。我们将 1 和 2 视为"不同意"，4 和 5 视为"同意"。
　　　NED ＝ 非执行董事
资料来源：波士顿咨询公司、哈佛商学院"全球 132 名首席执行官调查 2001"（命题 D-1）

图 A-26

命题 D-2：董事会由于履行职责而提高了效率

全体首席执行官的回答（%）

- 不同意：11
- 不确定：32
- 同意：57

不同地区首席执行官的回答（%）

地区	不同意	不确定	同意
北美	9	30	61
欧洲	11	40	49
亚太	17	20	63
合计	11	32	57

注释：首席执行官们的回答分为 5 个等级，从 1（完全不同意）到 5（完全同意）。我们将 1 和 2 视为"不同意"，4 和 5 视为"同意"。
　　　NED ＝ 非执行董事
资料来源：波士顿咨询公司、哈佛商学院"全球 132 名首席执行官调查 2001"（命题 D-2）

对公司首席执行官的调查

图 A-27

命题 E-1：首席执行官或前首席执行官是最佳董事人选

全体首席执行官的回答(%)

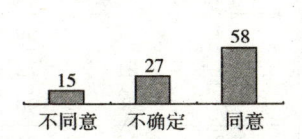

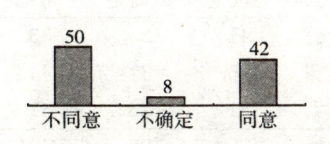

	15	27	58
	不同意	不确定	同意

不同地区首席执行官的回答(%)

地区	不同意	不确定	同意
北美	20	17	63
欧洲	15	36	49
亚太	7	26	67
合计	15	27	58

注释：首席执行官们的回答分为 5 个等级，从 1（完全不同意）到 5（完全同意）。
我们将 1 和 2 视为"不同意"，4 和 5 视为"同意"
NED ＝ 非执行董事
资料来源：波士顿咨询公司、哈佛商学院"全球 132 名首席执行官调查 2001"
（命题 E-1）

图 A-28

命题 E-2：除了首席执行官以外，董事会中的所有董事都应当是独立董事

全体首席执行官的回答(%)

	50	8	42
	不同意	不确定	同意

不同地区首席执行官的回答(%)

地区	不同意	不确定	同意
北美	42	4	54
欧洲	59	11	30
亚太	47	10	43
合计	50	8	42

注释：首席执行官们的回答分为 5 个等级，从 1（完全不同意）到 5（完全同意）。
我们将 1 和 2 视为"不同意"，4 和 5 视为"同意"
NED ＝ 非执行董事
资料来源：波士顿咨询公司、哈佛商学院"全球 132 名首席执行官调查 2001"
（命题 E-2）

附录

图 A-29

命题 E-3：小规模的董事会（例如，10 名董事或更少）将更有效率

全体首席执行官的回答(%)

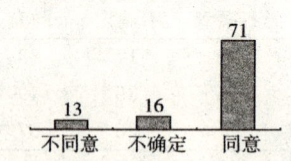

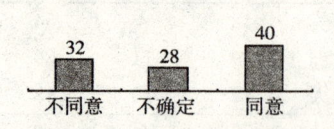

- 不同意：13
- 不确定：16
- 同意：71

不同地区首席执行官的回答(%)

地区	不同意	不确定	同意
北美	24	17	59
欧洲	7	21	72
亚太	7	3	90
合计	13	16	71

注释：首席执行官们的回答分为 5 个等级，从 1(完全不同意)到 5(完全同意)。
我们将 1 和 2 视为"不同意"，4 和 5 视为"同意"
NED = 非执行董事

资料来源：波士顿咨询公司、哈佛商学院"全球 132 名首席执行官调查 2001"
（命题 E-3）

图 A-30

命题 E-4：独立董事们了解公司颇为困难

全体首席执行官的回答(%)

- 不同意：32
- 不确定：28
- 同意：40

不同地区首席执行官的回答(%)

地区	不同意	不确定	同意
北美	41	26	33
欧洲	25	31	44
亚太	31	28	41
合计	32	28	40

注释：首席执行官们的回答分为 5 个等级，从 1(完全不同意)到 5(完全同意)。
我们将 1 和 2 视为"不同意"，4 和 5 视为"同意"
NED = 非执行董事

资料来源：波士顿咨询公司、哈佛商学院"全球 132 名首席执行官调查 2001"
（命题 E-4）

对公司首席执行官的调查

图 A-31

命题 E-5：撤换不称职的董事非常困难

全体首席执行官的回答(%)

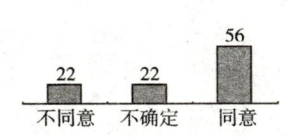

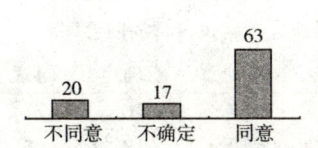

- 不同意：22
- 不确定：22
- 同意：56

不同地区首席执行官的回答(%)

地区	不同意	不确定	同意
北美	11	15	74
欧洲	33	28	39
亚太	17	24	59
合计	22	22	56

注释：首席执行官们的回答分为 5 个等级，从 1（完全不同意）到 5（完全同意）。
我们将 1 和 2 视为"不同意"，4 和 5 视为"同意"
NED ＝ 非执行董事
资料来源：波士顿咨询公司、哈佛商学院"全球 132 名首席执行官调查 2001"
（命题 E-5）

图 A-32

命题 E-6：只有当首席执行官希望董事会有效率时，董事会才可能有效率

全体首席执行官的回答(%)

- 不同意：20
- 不确定：17
- 同意：63

不同地区首席执行官的回答(%)

地区	不同意	不确定	同意
北美	15	11	74
欧洲	22	22	56
亚太	23	17	60
合计	20	17	63

注释：首席执行官们的回答分为 5 个等级，从 1（完全不同意）到 5（完全同意）。
我们将 1 和 2 视为"不同意"，4 和 5 视为"同意"
NED ＝ 非执行董事
资料来源：波士顿咨询公司、哈佛商学院"全球 132 名首席执行官调查 2001"
（命题 E-6）

附录

图 A-33

命题 E-7：所有的董事会都应当有完全独立的领导层——无论是不担任首席执行官的非执行董事主席或是委派的常务董事

全体首席执行官的回答(%)

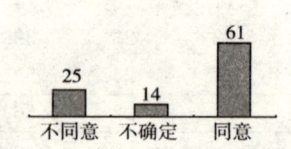

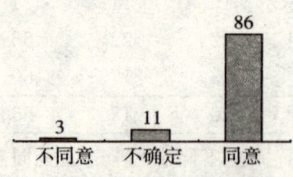

	不同意	不确定	同意
	25	14	61

不同地区首席执行官的回答(%)

地区	不同意	不确定	同意
北美	47	11	42
欧洲	17	18	65
亚太	10	10	80
合计	25	14	61

注释：首席执行官们的回答分为 5 个等级，从 1(完全不同意)到 5(完全同意)。我们将 1 和 2 视为"不同意"，4 和 5 视为"同意"
NED = 非执行董事

资料来源：波士顿咨询公司、哈佛商学院"全球 132 名首席执行官调查 2001"（命题 E-7）

图 A-34

命题 E-8：有关公司治理的争议过多关注于"统一标准"，真正有意义的关注点应当是董事会内部的才能组合与行为模式

全体首席执行官的回答(%)

	不同意	不确定	同意
	3	11	86

不同地区首席执行官的回答(%)

地区	不同意	不确定	同意
北美	7	16	77
欧洲	2	13	85
亚太	0	0	100
合计	3	11	86

注释：首席执行官们的回答分为 5 个等级，从 1(完全不同意)到 5(完全同意)。我们将 1 和 2 视为"不同意"，4 和 5 视为"同意"
NED = 非执行董事

资料来源：波士顿咨询公司、哈佛商学院"全球 132 名首席执行官调查 2001"（命题 E-8）

注　释

第一章

1. Sarbanes-Oxley Act of 2002, Public Law 107-204, 107th Congress, enacted 30 July 2002（the "Sarbanes-Oxley Act"）, available at 〈http://news.findlaw.com/hdocs/docs/gwbush/sarbanes-oxley072302.pdf〉（accessed 13 May 2003）.

2. New York Stock Exchange, "Corporate Governance Rule Proposals," 1 August 2002, available at 〈http://www.nyse.com/pdfs/corp_gov_pro_b.pdf〉（accessed 16 May 2003）, as amended by Amendment No. 1, 4 April 2003, available at 〈http://www.nyse.com/pdfs/amendi-04-09-03.pdf〉（accessed 16 May 2003）; NASDAQ, "Summary of NASDAQ Corporate Governance Proposals," 26 February 2003, available at 〈http://www.nasdaq.com/about/Web_Corp_Gov_Summary%20Feb-revised.pdf〉（accessed 16 May 2003）; American Stock Exchange, "Enhanced Corporate Governance—Text of Proposed Rule Changes," 16 May 2003, available at 〈http://www.amex.com〉（accessed 16 May 2003）. Note that approval of these proposed rules by the Securities and Exchange Commission were pending as of May 2003.

3. The Committee on the Financial Aspects of Corporate

Governance, *Report of the Committee on the Financial Aspects of Corporate Governance* (the "Cadbury Report") (London: Gee and Co. Ltd., 1992). In honor of the committee's chair, it is popularly known as the "Cadbury Report."

4. Derek Higgs, *Review of the Role and Effectiveness of Non-Executive Directors* (the "Higgs Report") (London: Department of Trade and Industry, 2003); and Sir Robert Smith, *Audit Committees Combined Code Guidance* (the "Smith Report") (London: Financial Reporting Council, 2003). In each case, the report is popularly named after the committee's chair.

5. General Motors Board of Directors, *GM Board Guidelines on Significant Corporate Governance Issues* (New York: General Motors, 1994).

6. See Jay W. Lorsch, Rakesh Khurana, and Sonya U. Sanchez, "Delphi Corporation," Case N4-402-033 (Boston: Harvard Business School, forthcoming).

7. Excerpts from Thomas H. Wyman's remarks at the National Association of Corporate Directors Annual Conference in April 2002 were published in Thomas H., Wyman, "Directorship: Lessons from Delphi," *Director's Monthly*, July 2002, 8–10.

8. 世界银行与经济合作与发展组织(OECD)合作主办了全球公司治理论坛,这个论坛的目的是促进经济转型国家改善其公司治理的质量。世界银行总裁詹姆斯·沃尔芬森(James Wolfensohn)曾经说过"现在的世界经济中,公司治理如同国家政务管理一样重要"。(see Global Corporate Governance Forum Web site at ⟨http://www.gcgf.org/about.htm⟩ (accessed 13 May 2003)). See also Magdi R. Iskander and Nadereh Ghamlou, *Corporate Governance: A Framework for Implementation* (Washington, DC: The World Bank Group, 2000). 1999年,经济合作与发展组织公

布了自己的公司治理基本准则。设立了公司治理特别工作组。"经济合作与发展组织公司治理基本准则"（Paris: Organization for Economic Coperation and Development, 1999）。为了应对最近几年的金融危机，国际货币基金组织（IMF）也对公司治理表现出积极的兴趣，正如一个对外关系研究委员会所指出的那样，"公司治理改革本质上是国际货币基金组织在亚洲金融危机中所进行的一揽子综合改革，特别是针对韩国的改革"。此外，为了推动韩国的企业削减债务并专注于核心业务，国际货币基金组织"要求韩国制定一套公司治理制度，以极大的增强少数股东及外部董事的力量"。Meredith Woo-Cumings, "Economic Crisis and Corporate Reform in East Asia," *A Paper from the Project on Development, Trade, and International Finance* (New York: The Council on Foreign Relations, 2000).

9. Committee on Corporate Governance, *Corporate Governance in the Netherlands: Forty Recommendations* (the "Peters Report") (Amsterdam: Committee on Corporate Governance, 1997), ⟨http://www.ecgi.org/codes/country_documents/netherlands/nl-peters_report.pdf⟩ (accessed 11 May 2003). It is popularly known as the "Peters Report" in honor of the committee chair.

10. Conseil National du Patronat Francais & Association Francaise des Entreprises Privées, "The Boards of Directors of Listed Companies in France," 10 July 1995, available at ⟨http://www.ecgi.org/codes/country_documents/france/vienot1_en.pdf⟩ (accessed 11 May 2003); Association Francaise des Entreprises Privées & Mouvement des Entreprises de France, "Report of the Committee on Corporate Governance," July 1999, ⟨http://www.ecgi.org/codes/country_documents/france/vienot2_en.pdf⟩ (accessed 11 May 2003); and Mouvement des Entreprises de France & Association Francaise des Entreprises Privées,

注释

"Promoting Better Corporate Governance in Listed Companies," 23 September 2002, ⟨http://www.ecgi.org/codes/country_documents/france/rapport-bouton-en.pdf⟩ (accessed 11 May 2003). These are commonly referred to, respectively, as the "Vienot I," "Vienot II," and "Bouton" Reports, in honor of the committee chairmen.

11. Government Commission, "German Corporate Governance Code," 26 February 2002, available at ⟨http://www.ecgi.org/codes/country_documents/germany/corgov-endfassung_e.pdf⟩ (accessed 11 May 2003). This best practice code is commonly known as the "Cromme Code" in honor of the committee chairman.

12. The Australian government's proposals for dealing with corporate disclosure were published in Corporate Disclosure: Strengthening the Financial Reporting Framework, CLERP Paper No. 9 (September 2002). The independence of auditors was addressed in Independence of *Australian Company Auditors: Review of Current Australian Requirements and Proposals for Reform—Report to the Minister for Financial Services and Regulation* (October 2001). This report is known as the Ramsay Report after its author, Professor Ian Ramsay. The Australian Stock Exchange (ASX) issued its governance guidelines, *The Corporate Governance Council: Principles of Good Governance and Best Practice Recommendations* (March 2003).

13. Committee on Corporate Governance, "Code of Best Practice for Corporate Governance," September 1999, available at ⟨http://www.ecgi.org/codes/country_documents/korea/code_korea.pdf⟩ (accessed 11 May 2003). Recent Korean corporate governance reform legislation is described in Bernard Black, Barry Metzger, Timothy O'Brien, and Young Moo Shin, "Corporate

Governance in Korea at the Millennium: Enhancing International Competitiveness—Final Report and Legal Reform Recommendations to the Ministry of Justice of the Republic of Korea 15 May 2000," *Journal of Corporation Law 26*, no. 3 (2001): 537-608.

14. See, for example, Japan Corporate Governance Committee, "Revised Corporate Governance Principles," 26 October 2001, available at ⟨http://www.ecgi.org/codes/country_documents/japan/revised_corporate_governance_principles.pdf⟩ (accessed 11 May 2003).

第二章

1. Rakesh Khurana, *Searching for a Corporate Savior: The Irrational Quest for Charismatic CEOs* (Princeton, NJ: Princeton University Press, 2002), 59-60.

2. 萨班斯—奥克斯莱法案(Sarbanes-Oxley Act)要求公司董事会审计委员会的每一个成员符合严格的独立性标准;审计委员会直接负责公司外部审计人员的任命、报酬与监督事宜。Sarbanes-Oxley Act of 2002, Public Law 107-204, 107th Congress, enacted 30 July 2002 (the "Sarbanes-Oxley Act"), available at ⟨http://news.findlaw.com/hdocs/docs/gwbush/sarbanes-soxley072302.pdf⟩ (accessed 13 May 2003), sec. 301. 史密斯报告(The Smith Report)也提出了审计委员会由独立董事组成的类似要求,并扩大了审计委员会的职责,不过,将任命外部审计人员的权力留给了整个董事会(审计委员会负责推荐人选)Sir Robert Smith, *Audit Committees Combined Code Guidance* (the "Smith Report") (London: Financial Reporting Council, 2003), para. 2.1.

3. 只有规模巨大和业务复杂的美国公司两个月召开一次董事会会议,包括那些公司巨头,如福特(Ford)公司、通用电气(General

注释

Electric)公司和通用汽车(General Motors)公司。

4. Egon Zehnder International,《全球性的公司董事会研究》(*Board of Directors Global Study*)(London：Egon Zehnder International,2000),40,52.另一个调查公司发现了美国大型公司董事的更高平均值——2001年的调查是每年156小时,2002年的调查是每年183小时,但这些数字包括为参加董事会会议而花费的旅行时间。See Korn/Ferry International, *28th Annual Board of Directors Study 2001*（Los Angeles：Korn/Ferry International,2001),18; and Korn/Ferry International, *29th Annual Board of Directors Study 2002：Fortune 1000 Highlights*（Los Angeles：Korn/Ferry International, 2002),14.

5. Egon Zehnder International, *Board of Directors Global Study*, 56 – 57.

6. 在德国,根据法律要求,比较大型公司的监事会通常有20名成员。

7. 例如,有两本书用很少的篇幅谈论了要求董事会在公司战略领域发挥更重要作用的同时,独立董事们的时间与知识所受到的约束。Ram Charan, *Boards at Work：How Corporate Boards Create Competitive Advantage*（San Francisco：Jossey-Bass,1998); and Susan Shultz, *The Board Book：Making Your Corporate Board a Strategic Force in Your Company's Success*（New York：Amacom,2001).

8. 最近出版的一些书强调了当代公司必须面对的非同寻常的改革步伐与复杂性,包括 Nitin Nohria, Davis Dyer, and Frederick Dalzell, *Changing Fortunes：Remaking the Industrial Corporation*（New York：Wiley, 2002); Richard N. Foster and Sarah Kaplan, *Creative Destruction*（New York：Doubleday, 2001); Chris Zook and James Allen, *Profit from the Core：Growth Strategy in an Era of Turbulence*（Boston：Harvard Business School Press, 2001); Gary Hamel, *Leading the Revolution*（Bos-

ton: Harvard Business School Press, 2000); and Donald C. Hambrick, David A. Nadler, and Michael L. Tushman, *Navigating Change* (Boston: Harvard Business School Press, 1998).

9. Egon Zehnder International, *Board of Directors Global Study*, 21.

10. 马可尼(Marconi)公司,英国知名企业,2000年高峰时期资本市值达350亿英镑,两年后其价值损失了约99%。参见 Dominic White, "Decline and Fall of Weinstock's Mighty Empire," *The Daily Telegraph*, 29 August 2002, 33.

11. The intellectual source of this view rests in a seminal article: Michael C. Jensen and William H. Meckling, "Theory of the Firm: Managerial Behavior, Agency Costs and Ownership Structure," *Journal of Financial Economics 3*, no. 4 (1976): 305-360.

12. See Frederick F. Reichheld, *The Loyalty Effect* (Boston: Harvard Business School Press, 1996).

13. See Peter F. Drucker, "Knowledge-Worker Productivity: The Biggest Challenge," *California Management Review*, Winter 1999, 79-94.

14. For an exploration of this issue, see Felix Barber, Jeff Kotzen, Eric Olsen, and Rainer Strack, "Quantifying Employee Contribution," *Shareholder Value*, May/June 2002, 52-58.

15. In the United States, these include, among others, the Sarbanes-Oxley Act; the various rule changes proposed by the stock exchanges, see New York Stock Exchange, "Corporate Governance Rule Proposals," 1 August 2002, available at ⟨http://www.nyse.com/pdfs/corp_gov_pro_b.pdf⟩ (accessed 16 May 2003), as amended by Amendment No.1, 4 April 2003, available at ⟨http://www.nyse.com/pdfs/amend1-04-09-03.pdf⟩ (accessed 16 May 2003); NASDAQ, "Summary of NASDAQ

注释

Corporate Governance Proposals," 26 February 2003, available at ⟨http://www.nasdaq.com/about/Web_Corp_Gov_Summary%20Feb-revised.pdf⟩ (accessed 16 May 2003); American Stock Exchange, "Enhanced Corporate Governance—Text of Proposed Rule Changes," 16 May 2003, available at ⟨http://www.amex.com⟩ (accessed 16 May 2003); and the Conference Board Commission on Public Trust and Private Enterprise, *Corporate Governance: Principles, Recommendations and Specific Best Practice Suggestions* (New York: The Conference Board, 2003). In the United Kingdom, the most recent proposals for change are the Higgs Report on non-executive directors and boards more generally, see Derek Higgs, *Review of the Role and Effectiveness of Non-Executive Directors* (the "Higgs Report") (London: Department of Trade and Industry, 2003); and the Smith Report on audit committees.

16. See, for example, Ira M. Millstein and Paul W. MacAvoy, "The Active Board of Directors and Performance of the Large Publicly Traded Corporation," *Columbia Law Review* 98 (1998): 1283–1322; and Paul A. Gompers, Joy L. Ishii, and Andrew Metrick, "Corporate Governance and Equity Prices," *Quarterly Journal of Economics* 18, no.1 (2003): 107–155。但是请注意,这些研究中没有任何人据称已经发现了公司董事会外部可观察的因素与公司财务业绩的因果关系。

17. Egon Zehnder International, *Board of Directors Global Study*, 52.

第三章

1. 公司董事会中应当有多少比例的独立董事在不同国家有很大差异。例如,在美国与澳大利亚,理想比例是只有1～2名管理层董事,但在英国,理想的比例似乎是有一半独立董事。

2. 确保这些非执行董事具备真正的独立性是股票交易所提出的修订规则主旋律。See, for example, New York Stock Exchange, "Corporate Governance Rule Proposals," 1 August 2002, available at 〈http://www.nyse.com/pdfs/corp_gov_pro_b.pdf〉 (accessed 16 May 2003), as amended by Amendment No. 1, 4 April 2003, available at 〈http://www.nyse.com/pdfs/amend1-04-09-03.pdf〉 (accessed 16 May 2003), subsec, 1 and 2. This is also an important objective of the Sarbanes-Oxley Act in regard to audit committee members, Sarbanes-Oxley Act of 2002, Public Law 107-204, 107th Congress, enacted 30 July 2002 (the "Sarbanes-Oxley Act"), available at 〈http://news.findlaw.com/hdocs/docs/gwbush/sarbanesoxley072302.pdf〉 (accessed 13 May 2003), sec. 301.

3. 近来，英国的黑格斯报告(Higgs Report)建议董事会中至少有一半成员(不包括董事会主席)应当是独立董事(para.9.5)；董事会主席在他/她被任命时应当是独立的(para.5.8)。See Derek Higgs, *Review of the Role and Effectiveness of Non-Executive Directors* (the "Higgs Report") (London: Department of Trade and Industry, 2003).

4. Government Commission, "German Corporate Governance Code," 26 February 2002, available at 〈http://www.ecgi.org/codes/country_documents/germany/corgov-endfassung_e.pdf〉 (accessed 11 May 2003), para. 5.5.

5. See George P. Baker, Michael C. Jensen, and Kevin J. Murphy, "Compensation and Incentives: Practice versus Theory," *Journal of Finance* 43, no.3 (1988): 593-616; Michael C. Jensen and Kevin J. Murphy, "Performance Pay and Top-Management Incentives," *Journal of Political Economy* 98, no. 2 (1990): 225-284; and Michael C. Jensen and Kevin J. Murphy, "CEO Incentives: It's Not How Much You Pay, But How," *Har-

注释

vard Business Review, May-June 1990, 138–153.

6. 美国以外的其他国家公司治理实践以往反对用股票期权支付外部董事的报酬,但变革的压力显而易见。例如,大多数较大型的澳大利亚公司也要求其外部董事的一部分报酬(通常是25%左右)以股票形式支付——这是董事会实践中的一种设计活动用以显示董事与股东的"利益联盟"。

7. See Jay W. Lorsch and Elizabeth MacIver, *Pawns or Potentates: The Reality of America's Corporate Boards* (Boston: Harvard Business School Press, 1989), 26–30.

8. William Allen, "Redefining the Role of Outside Directors in an Age of Global Competition" (speech given to the Corporate Securities Law Institute, Northwestern University, Chicago, 30 April 1992).

9. 本章注释5提及的财务方面的经济专家打头阵,其他人迅速跟进。用一位观察家的话说"我们现在都是亨利·克拉维斯(Henry Kravis——著名国际投资公司KKR共同创始人,以擅长杠杆收购著称——译者注)",他是上世纪八十年代(1980s)杠杆收购(leveraged buyout)的先行实践者。这一推测基于当时难以遏制的敌意接管与杠杆收购不再迫使公司经理使股东价值最大化;来自机构投资者的压力和首席执行官自身基于股权报酬的激励更加有效。Steven N. Kaplan, "The Evolution of U.S. Corporate Governance: We Are All Henry Kravis Now," unpublished paper, 1997. 企业活动圆桌会议(The Business Roundtable),是一个由大型企业的首席执行官组成的协会,最终承认"公司经理与董事会的首要职责是对公司股东负责。其他利益相关者的利益是在对股东责任的基础上派生而来"。The Business Roundtable, *Statement on Corporate Governance* (Washington, DC: The Business roundtable, 1997), 3.

10. Lorsch and MacIver, *Pawns or Potentates*, 37–54.

11. Guhan Subramanian, "The Influence of Antitakeover

Statutes on Incorporation Choice: Evidence on the 'Race' Debate and Antitakeover Overreaching," *University of Pennsylvania Law Review* 150, no.6 (2002): 1795-1873, 1827.

12. 世界著名商业论坛和研究机构,美国世界大型企业联合会(Conference Board),在最近的报告中引用了来自伯格金融市场研究中心(the Bogle Financial Markets Research Center)的数据,数据显示共同基金(mutual funds)控制的股份年交易额从上世纪六十年代(1960s)早期的15%～20%,戏剧性的增加到近年来的100%以上。The Conference Board Commission on Public Trust and Private Enterprise, *Corporate Governance: Principles, Recommendations and Specific Best Practice Suggestions* (New York: The Conference Board, 2003), 19.

第四章

1. 参见:经济合作与发展组织(OECD)公司治理特别工作组, *OECD Principles of Corporate Governance* (Paris: Organisation for Economic Co-Operation and Development, 1999). The OECD Principles have been embraced by the World Bank.

2. 例如,英国公司董事会必须遵守的特殊法律要求极为有限。See Jonathan Charkham, *Keeping Good Company: A Study of Corporate Governance in Five Countries* (Oxford: Oxford University Press, 1995), 262. 与英国类似,美国公司董事会在适用州法律时,对董事会的结构与作用选择方面也有很大的自由裁量权。

3. See Section 141 (a) of the Delaware General Corporation Law, Delaware Code Annotated Title 8, available at ⟨http://www.dclcode.state.de.us⟩ (accessed 16 May 2003).

4. Ada Demb and F.-Friedrich Neubauer introduced these archetypes in *The Corporate Board: Confronting the Paradoxes* (New York: Oxford University Press, 1992), 55.

5. William T. Allen, "Free Markets Focus on Corporate

Governance," *Directorship*, January 1999, 11.

6. Federal Document Clearing House, "Statement of Dr. Robert K. Jaedicke Before the Permanent Subcommittee on Investigations," The Committee on Senate Governmental Affairs (7 May 2002).

7. 见前文的注释,根据一个调查,北美公司的董事们每年在每一个董事会投入的工作时间少于 100 小时。Egon Zehnder International, *Board of Directors Global Study* (London: Egon Zehnder International, 2000), 52.

8. IBM 公司副总裁利尔森(Learson)坦然承认,大获成功的 IBM/360 系统研发项目是"IBM 公司前所未有的巨大赌注"。D. Quinn Mills and G. Bruce Friesen, *Broken Promises: An Unconventional View of What Went Wrong at IBM* (Boston: Harvard Business School Press, 1996).

9. See, for example, Robert A. G. Monks and Nell Minow, *Corporate Governance* (Oxford: Blackwell Publishers, 2d ed., 2001). 这里的观点坚持所期望的董事会是与经理层保持一定距离的监督者。

10. 有关美敦力(Medtronic)公司董事会作用的更多信息,参见 Jay W. Lorsch and Norman Spaulding, "Medtronic, Inc. (A)," Case 9-494-096 (Boston: Harvard Business School, 1994); and Jay W. Lorsch and Katharina Pick,"Medtronic, Inc. (B)," Case 9-400-042 (Boston: Harvard Business School, 1999).

第五章

1. 董事会变革的原则性建议是每年重新选举所有的董事,每个董事会只允许有两名内部董事,指定一名"常务董事",全部由独立董事组成专业委员会,每位董事最多只能在三个董事会任职。(John Byrne,) "How to Fix Corporate Governance," *Business*

Week, 6 May 2002, 69 – 78.

2. See, for example, J. Richard Hackman, *Leading Teams: Setting the Stage for Great Performances* (Boston: Harvard Business School Press, 2002), 116 – 122; and Jay A. Conger, Edward E. Lawer III, and David L. Finegold, *Corporate Boards: New Strategies for Adding Value at the Top* (San Francisco: Jossey-Bass, 2001), 54 – 55.

3. 例如,在美国,股票交易所与证券交易委员会都要求设立这3个专业委员会。公司治理委员会以前被称为提名委员会(很多其他国家现在仍然用这个名称)。它们最基本的目的是确定董事候选人的提名。另外,它们还负责审议通过董事会成员的提名,监督董事会的功能。

4. 技能组合问题将在第六章进行更充分的讨论。

5. 我们假定专业委员会的平均规模是3个董事。我们在后面的章节中说明其中的原因。

6. Spencer Stuart, *Spencer Stuart Board Index 2000* (Chicago: Spencer Stuart, 2000), 8. See also, Korn/Ferry International, *28th Annual Board of Directors Study* 2001 (Los Angeles: Korn/Ferry International, 2001), 10.

7. Egon Zehnder International, *Board of Directors Global Study* (London: Egon Zehnder International, 2000), 28. See also, Heidrick & Struggles, *Is Your Board Fit for the Global Challenge? Corporate Governance in Europe* (London: Heidrick & Struggles International, 2003), 8.

8. Heidrick & Struggles, *Is Your Board Fit for the Global Challenge?*, 8.

9. Egon Zehnder International, *Board of Directors Global Study*, 28.

10. *Spencer Stuart Board Index 2000*, 6.

11. 在欧洲"双重制董事会结构"(Dual Board Structure)的国

注释

家,"董事会"的概念用于描述监事会(Supervisory)以及管理委员会(Management Boards)。管理委员会全部由经理人员组成,我们视其为与其他国家相类似的执行委员会(Executive Committees)。相应的,我们有关监事会的讨论,认为与英语语系国家的董事会相似,位于公司治理结构的最顶端,排除管理人员任职。

12. 2003年黑格斯报告(The Higgs Report)建议"至少一半的董事会成员,不包括董事会主席,应当是独立的非执行董事"。Derek Higgs, *Review of the Role and Effectiveness of Non-Executive Directors*(the"Higgs Report")(London:Department of Trade and Industry, 2003), para. 9.5. 黑格斯报告发现英国上市公司董事会的平均值是3个执行董事,3个非执行董事,1个董事会主席共同组成董事会;同时,英国金融时报全球证券指数(FTSE)100个董事会的平均值是12名董事,包括6名非执行董事,5名执行董事和董事会主席。Higgs Report, para. 4.9.

13. 澳大利亚公司的董事会现在几乎全部是非执行董事。在新加坡和香港,比较大型的公众公司(public companies)其董事会成员现在也大多数为外部董事。在韩国,政府已经制定了法律,要求比较大型的公司董事会成员中,例如,以财阀(chaebols)为名的韩国大型企业集团,其独立的外部董事至少占一半比例。See Bernard Black, Barry Metzger, Timothy O'Brien, and Young Moo Shin, "Corporate Governance in Korea at the Millennium:Enhancing International Competitiveness—Final Report and Legal Reform Recommendations to the Ministry of Justice of the Republic of Korea 15 May 2000," *Journal of Corporation Law* 26, no. 3(2001):537-608. 在日本,一些大型公司,如索尼(Sony)公司也引领了同样的改革方向——对于只设立执行董事的传统做法进行了深度改革。其他亚洲国家也正在顺应这一趋势,但在某些情况下,"独立董事"被认为受家族控制公司的制约。

14. Quoted in Margot Sayville, "Ray's Lieutenant Knew How to Keep the Peace," *The Sydney Morning Herald*, 31 August

2002,47.

15. 我们相信管理层人员应当被邀请参与大量的董事会工作，而无论他们是否担任公司的董事。第七章将对这一问题展开讨论。

16. 例如,2002年的英国,英国金融时报全球证券指数(FTSE)100家公司董事会主席中的24名是同一公司的前首席执行官。参见 Higgs Report,18。

17. General Motors Board of Directors, *GM Board Guidelines on Significant Corporate Governance Issues* (New York: General Motors, 1994), paras. 19 and 20.

18. 黑格斯报告(The Higgs Report)建议,英国由主要股东出任的非执行董事或其代表重要股东的非执行董事,不应当归类于"独立董事"。Higgs Report,37.

19. See, for example, The Committee on the Financial Aspects of Corporate Governance, *Report of the Committee on the Financial Aspects of Corporate Governance* (the "Cadbury Report") (London: Gee and Co. Ltd., 1992), para. 4.9; the Higgs Report, para. 5.3; and the Conference Board Commission on Public Trust and Private Enterprise, *Corporate Governance: Principles, Recommendations and Specific Best Practice Suggestions* (New York: The Conference Board, 2003), 7-9.

20. See summarized survey results of McKinsey & Company, "Director Opinion Survey 2002," available at 〈http://www.mckinsey.com/practices/CorporateGovernance/Research〉 (accessed 14 May 2003).

21. See Andargachew S. Zelleke, "Freedom and Constraint: The Design of Governance and Leadership Structures in British and American firms," (unpublished Ph.D. diss., Harvard University 2003, chapter 8).

22. Korn/Ferry International, *28th Annual Board of Directors Study 2001*, 19. 在美国,大多数公司将这两个职务分离作为其

注释

高层管理人员接替计划的组成部分。退休的首席执行官在短期内仍旧保留董事会主席的头衔,同时,新任首席执行官出任公司任掌门人。

23. See Rachel E. Silverman, "GE Makes Changes in Board Policy," *Wall Street Journal*, 8 November 2002.

24. 纽约证券交易所(New York Stock Exchange)在其提出的规则建议中,已经选择"首席董事"(presiding director)用于这个职位的名称,在某些董事会中,这也许是比"常务董事"(lead director)更准确的称呼。See New York Stock Exchange, "Corporate Governance Rule Proposals," 1 August 2002, available at ⟨http://www.nyse.com/pdfs/corp_gov pru_b.pdf⟩ (accessed 16 May 2003), as amended by Amendment No.1; 4 April 2003, available at ⟨http://www.nyse.com/pdfs/amend1-04-09-03.pdf⟩ (accessed 13 May 2003), subsec. 3.

25. 在美国,各种各样的证券交易所规则建议中要求设立这些专业委员会。2002年的萨班斯—奥克斯莱法(Sarbanes-Oxley Act) 301条款也要求设立审计委员会,Public Law 107-204, 107th Congress, enacted 30 July 2002 (the "Sarbanes-Oxley Act"), available at ⟨http://news.findlaw.com/hdocs/docs/gwbush/sarbanesoxley072302.pdf⟩ (accessed 13 May 2003).

26. 事实上,所有的北美公司董事会现在都设有审计(audit)委员会与薪酬(compensation)委员会,根据一项调查,大多数公司还设有提名(nominating)委员会与执行(executive)委员会。See Egon Zehnder International, *Board of Directors Global Study*, 42. 根据另一项调查,在欧洲,大约3/4的公司董事会设立了审计委员会与薪酬委员会。其他不太常见的专业委员会包括:执行委员会、战略委员会、财务委员会、高层管理人员继任计划委员会。欧洲公司董事会平均下设2.6个专业委员会。See Heidrick & Struggles, *Is Your Board Fit for the Global Challenge?*, II.

27. See New York Stock Exchange, "Corporate Governance

Rule Proposals"; NASDAQ, "Summary of NASDAQ Corporate Governance Proposals," 26 February 2003, available at 〈http://www.nasdaq.com/about/Web_Corp_Gov_Summary%20Feb-revised.pdf〉 (accessed 16 May 2003); American Stock Exchange, "Enhanced Corporate Governance—Text of Proposed Rule Changes," 16 May 2003, available at 〈http://www.amex.com〉 (accessed 16 May 2003).

28. See, especially, Sarbanes-Oxley Act, sec. 301; New York Stock Exchange, "Corporate Governance Rule Proposals," subsec. 7.

29. See Jay W. Lorsch and Alison H. Watson, "Lukens Inc.: The Melters' Committee, (A)," Case 9-493-070 (Boston: Harvard Business School, 1993).

30. William T. Allen, "Independent Directors in MBO Transactions: Are They Fact or Fantasy?", *The Business Lawyer*, August 1990, 2055–2063.

第六章

1. 本章我们将讨论影响董事会作用的成员。严格说来,董事只能通过选举程序向股东推荐董事人选。但是,多数情况下,股东只是正式批准董事会的候选人名单,实际上是董事们自己决定董事会的成员资格。

2. 在实行双重制董事会结构"(dual board structure)的大多数国家,这实际是监事会。

3. 许多有才干的管理人员并没有担任过公司的首席执行官,但可能管理过大公司的主要业务部门。在我们所说的董事会中,他们与首席执行官在管理经验方面相互取长补短。事实上,当讨论企业战略问题时,他们可能比首席执行官更有见地。因为在业务领域中,他们比那些长期位于公司中心位置的首席执行官更熟悉相关的战略问题。

注释

4. Spencer Stuart, *Spencer Stuart Board Index 2002* (Chicago: Spencer Stuart: 2002), 8.

5. 根据一项全球性的调查,仅有 14% 的公司董事会两年内曾经要求某一个董事辞职。Egon Zehnder International, *Board of Directors Global Study* (London: Egon Zehnder International, 2000), 53. 另一项调查指出,仅有 24% 的美国公司董事会曾经要求表现不佳的某个董事辞职或不再支持其连任。Korn/Ferry International, *28th Annual Board of Directors Study 2001* (Los Angeles: Korn/Ferry International, 2001), 23.

6. Derek Higgs, *Review of the Role and Effectiveness of Non-Executive Directors* (the "Higgs Report") (London: Department of Trade and Industry, 2003), para. 11. 19.

7. 大多数公司都是对"整个董事会"(whole of board)的评价而不是对每一个董事(individual directors)的正式评估。Korn/Ferry's *28th Annual Board of Directors Study 2001* 中,受访者的回答是,42% 的公司已经制定了正式的针对整个董事会的业绩评价制度,19% 的董事会有针对每一个董事的评估制度。(22-23). *The Spencer Stuart Board Index 2000* 报告了类似的结果,大约 50% 的受访者回答有针对整个董事会的评价,大约 20% 的受访者回答有针对每一个董事的评估(7)。Egon Zehnder International's *Board of Directors Global Study* 报告指出,67% 的北美公司与 71% 的澳大利亚公司有针对其整个董事会的评价,但只有 19% 的欧洲公司,10% 的亚洲公司以及 5% 的拉丁美洲公司也做同样的事情。(50).

8. Korn/Ferry International, *28th Annual Board of Directors Study 2001*, 23.

9. 在任何这类例外的情况下,公司应当向股东解释原因。Higgs Report, para. 12.5. 此外,黑格斯报告(Higgs Report)建议每年对那些任职时间超过 9 年的董事进行重新选举。para. 12.6.

10. See, for example, Robin Sidel, "Board Compensation

Becomes Balancing Act," *Wall Street Journal*, 30 August 2002.

11. Higgs Report, para. 12.24.

12. Joseph B. Treaster, "Directors' Compensation: Cash Laughs Last," *Corporate Board Member*, January-February 2002, 61.

13. 如前所言,由一家调查公司进行的一项全球性研究表明,北美公司的董事们每年在每一个董事会中投入 82 小时。Egon Zehnder International, *Board of Directors Global Study*, 52. 另一家调查公司针对美国公司董事会的调查指出,2001 年董事们在每个董事会中投入 156 小时,2002 年是 183 小时,但是,这些数字中包括了旅行时间与会议时间。Korn/Ferry International, *28th Annual Board of Directors Study 2001*, 18, and *29th Annual Board of Directors Study 2002: Fortune 1000 Highlights*(Los Angeles: Korn/Ferry International,2002),14.

14. *Spencer Stuart Board Index 2002*, 17.

15. John M. Nash, President emeritus of the National Association of Corporate Directors, quoted in Treaster, 67.

16. Charles Elson, Director of the Center for Corporate Governance at the University of Delaware, quoted in Treaster, 61.

17. See William M. Mercer Inc. data cited in Treaster, "Directors' Compensation;" *Spencer Stuart Board Index 2002*, 17; Korn/Ferry International, *28th Annual Board of Directors Study 2001*, 17.

18. See Jay W. Lorsch and Elizabeth MacIver, *Pawns or Potentates: The Reality of America's Corporate Boards* (Boston: Harvard Business School Press, 1989), 26 – 30.

19. 例如,英国的黑格斯报告(Higgs Report)表达了其反对非执行董事拥有期权的观点。para. 12.27.

注释

第七章

1. 最近的 Spencer Stuart survey reports 指出,标准普尔 500 成分股(S&P 500)公司董事会平均每年有 7.5 次董事会会议,与前一年的平均 8.2 次相比有所下降。但是,少数董事会每年平均只开 3 次董事会会议。12%的公司董事会每年至少开 11 次董事会会议。Spencer Stuart,*Spencer Stuart Board Index 2002*(Chicago: Spencer Stuart: 2002),11.即使在同一个行业内,平均每年董事会会议的频率也有很大差异,例如,2002 年的银行业,美商富国银行(Wells Fargo)与美商道富银行(State Street)(6 次会议);美国商业与储蓄银行(US Bancorp)与美国北方信托公司(Northern Trust)(7 次会议);美国福利特—波士顿金融公司(Fleet Boston)(8 次会议);美国摩根大通公司(JP Morgan Chase)与美国花旗银行(Citigroup)(10 次会议)。

2. Heidrick & Struggles,*Is Your Board Fit for the Global Challenge? Corporate Governance in Europe*(London: Heidrick & Struggles International,2003),9.

3. *Spencer Stuart Board Index 2002*,11; and Heidrick & Struggles,*Is Your Board Fit for the Global Challenge?* 9.

4. 这些公司可能包括:澳大利亚必和必拓(BHP Billition)综合资源集团,澳大利亚物流集团(Brambles),安普公司(AMP)以及澳大利亚联邦银行(Commonwealth Bank of Australia)其中一些将其业务拓展到北半球的公司已经发生了急速的变化——当公司管理层耗费太多的时间用于旅行时,每个月召开一次董事会会议变得非常困难,他们试图引进海外董事。

5. For an elaboration of this set of tools, see Robert S. Kaplan and David P. Norton,*The Balanced Scorecard: Translating Strategy into Action*(Boston: Harvard Business School Press,1996).

第八章

1. See New York Stock Exchange, "Corporate Governance Rule Proposals," 1 August 2002, available at 〈http://www.nyse.com/pdfs/corp_gov-pro_b.pdf〉(accessed 16 May 2003), as amended by Amendment No. 1, 4 April 2003, available at 〈http://www.nyse.com/pdfs/amend1-04-09-03.pdf〉(accessed 16 May 2003) subsec. 3.

第九章

1. B. George, Authentic Leadership (San Francisco: Jossey-Bass, 2003), 172.

2. 我们感到这个问题对美国公司的审计委员会尤为重要,因为萨班斯—奥克斯莱法案(Sarbanes-Oxley Act)赋予这个独立董事组成的委员会整体上具有极大的权力。See Sarbanes-Oxley Act of 2002, Public Law 107–204, 107th Congress, enacted 30 July 2002 (the "Sarbanes-Oxley Act"), available at 〈http://news.findlaw.com/hdocs/docs/gwbush/sarbanesoxley 072302.pdf〉(accessed 13 May 2003), sec. 301.

3. 10多年前,迈克尔·詹森(Michael Jensen)教授为美国经济领域中很多新型组织使"大型上市公司黯然失色"而鼓掌。(73)他注意到没有公众股东的公司结构日益重要,诸如通过杠杆式控制权收购(Leverage buyout transactions)使上市公司股权向私人集中。这种公司结构由"主动的投资者"监控,而不是由董事会监控。(65)进一步,詹森教授论证"与公司没有或只有极少股权利益关系的外部董事能够有效监督和控制管理层(而管理层负责选择独立董事)的观点已被证明是空谈"。(64)按照他的想法,新的公司结构克服了上市公司的核心缺陷——公司所有者与管理者之间在控制和使用公司资源时产生的内在冲突——因而表现出更好的效果、更高的效率,创造更多的价值。Michael C. Jensen, "Eclipse of the Public Corporation," *Harvard*

注释

Business Review, September-October, 1989, 61-74.

4. See Rafael La Porta & Floreneio Lopez-de-Silanes, and Andrei Shleifer, "Corporate Ownership Around the World," *Journal of Finance* 54, no. 2 (1999): 471-517.

5. 洛德·扬(Lord Young)，英国董事协会负责人，2002年在其退休告别讲演中，批驳完全由独立董事组成董事会是在浪费时间。"从有限责任公司诞生时起，过去10年间我们在公司治理方面耗费的时间和精力比以往任何时候都多。但所有善意的唯一结果，是将我们改善公司治理的努力引入歧途。最大的危险是，我们期望非执行董事发挥的作用毫无意义……他们所能做的充其量是判断经理层告诉他们的信息。如果经理层不愿意提供信息，在爆出丑闻之前他们就绝不可能了解实情……他们有可能像管理层一样了解公司业务吗？不可能。在这种情况下，为什么要浪费时间？为什么非执行董事要自寻烦恼？"他的评论全文，参见 Lord Young, *The Business*, 28 April 2002.

作者简介

科林·B. 卡特（COLIN B. CARTER）

从事管理咨询顾问工作的历史已经超过 25 年，他大部分时间担任波士顿咨询公司（Boston Consulting Group）高级副总裁的职务，为公司首席执行官和高层经理们提供战略与组织方面的咨询服务。

他对公司董事会产生特殊的研究兴趣始于作为管理咨询顾问与公司高层经理共同工作的经历。当分派的任务完成之后，经常要为客户公司董事会介绍研究成果，这导致他对公司董事会具备什么样的功能，尤其是兼职的独立董事如何履行其职责等问题产生了极大的兴趣。在过去的 10 年间，他投入了大量的时间研究一些公司的董事会业绩评估问题，同时，在波士顿咨询公司内部，科林也承担了在全世界范围内研究公司董事会领导力的课题并对与董事会有关的问题提供咨询建议。这些经历使他积累了世界很多国家公司董事会设计和业绩评估方面的经验。并作为研究公司治理与董事会作用的专家曾经在欧洲和亚洲的一些会议上进行演讲。

作者简介

科林在瑞士洛桑国际管理发展学院（International Institute for Management Development）、美国耶鲁大学（Yale University）以及澳大利亚墨尔本大学（University of Melbourne）讲授过管理硕士课程。2002年从波士顿咨询公司全职咨询顾问的岗位退休，现在仍然是波士顿的兼职咨询顾问，他专注于向咨询团队提供有关董事会方面的指导并为自己的一系列委托人进行董事会的业绩评议。他在两个澳大利亚上市公司担任董事——威斯法（Wesfarmers）公司和首创能源（Origin Energy）公司，还是澳大利亚橄榄球联盟的委员和几个非营利性组织的理事。从墨尔本大学和哈佛大学毕业后，科林与妻子安吉（Angie）居住在澳大利亚墨尔本。他们的三个儿子已经成年，分别是保罗（Paul）、詹姆斯（James）和克里斯托弗（Christopher）。

杰伊·W.洛尔施（JAY W. LORSCH）

哈佛商学院路易斯·E.柯尔斯坦（Louis E. Kirstein）人际关系教授以及公司董事会与董事研究领域最有影响力的权威。他专注于公司董事会的研究发端于其开创性的著作《小卒或国王：现实中的美国公司董事会》（Pawns or Potentates: The Reality of America's Corporate Boards）(1989)。洛尔施教授为工商管理硕士（MBA）学生和接受培训的董事们讲授公司董事会方面的前沿性教育课程；他也是哈佛商学院全球公司治理创新研究中心（Global Corporate Governance Initiative)的主席。

他现在的研究兴趣还包括专业服务企业,这反映在最近出版的一本著作《明星资本》①[与托马斯·特尼(Thomas Tierney)合著,2003年]中。他还是大量的文章和15本书的作者,包括《组织与环境》(Organization and Environment),这本书获得美国管理学会最佳管理图书奖(Academy of Management Book Award)和美国詹姆斯·A.汉密尔顿医院管理图书奖(James A. Hamilton Hospital Administration Book Award)。1986~1995年期间,担任了美国哈佛商学院的资深副院长,他先是主管教员的学术研究活动,后来又主管公司高层经理的培训项目。

作为一名咨询专家,他为很多组织和公司提供过董事会相关问题的咨询建议,诸如:美国阿尔斯顿·佰德律师事务所(Alston & Bird LLP)、美国应用材料(Applied Materials)公司、加拿大蒙特利尔银行(the Bank of Montreal)、美国辛辛那提(Cinergy)能源公司、吉利公司(Gillette Company)、高盛集团(Goldman Sachs)和美敦力(Medtronic)公司。他还在一些上市公司和私人公司担任董事,包括美国的利洁时(Benckiser)公司、宾士域(Brunswick)公司以及计算机协会。

杰伊与妻子帕特里夏居住在美国马萨诸塞州剑桥地区(Cambridge Massachusetts),现在有5个子女。

---

① 《明星资本》(Aligning Stars: When Professionals Drive Results),中信出版社,2003年出版中译本。——译者注

董事会的作用

译后记

一、本书的标题

原标题为 *Back to the Drawing Board：Designing Corporate Boards for a Complex World*，考虑到本书核心内容是阐述如何确定公司董事会的作用与提高董事会的工作效率，因此，译者将本书命名为《董事会的作用与效率——如何在复杂的环境中设计公司董事会》。

二、书中的注释

原书中各章节的注释（Notes）以尾注形式安排在正文之后，但其中大部分是参考文献来源。为此，译者根据以下原则处理注释：(1)原文注释属于参考文献名称及来源性质的，不翻译成中文，仍旧保持英文原文形式。(2)原文注释属于解释说明性质的，翻译成中文。(3)原文没有注释，但译者认为中国读者可能需要更具体的解释时，以脚注方式增加"译者注"，如一些专业名词：Calpers、Sarbanes-Oxley Act、Standard & Poor's 和原文中作为分析实例的一些公司情况简介（BHP Billition、Marconi）等。

译后记

三、公司名称与人名的翻译

凡原书中出现的英文人名,一律以上海译文出版社出版的《新英汉词典》附录:常见英美姓名表为准翻译。无法在其中查到的姓名,按照读音翻译。原书中出现的公司名称,先通过百度(Baidu)和 Google 搜索引擎在互联网上查询是否有通用的中文译名,如有,则采用通用名称;如没有,则按照读音翻译。

我的家人为我顺利完成翻译工作提供了大量的帮助。译稿中的图表扫描、复印与绘制是我先生肖京与女儿肖娴帮助我完成的。特别是我的女儿,虽然只有 12 岁,却能娴熟运用计算机的许多绘图和制表技巧,每每在我遇到困难时帮助我解决问题。在此,对家人的温情与付出的劳动表示衷心的感谢。

北京大学光华管理学院硕士研究生刘馨同学,对本书中某些章节的翻译有重要贡献。商务印书馆本书的责任编辑王艺博先生,在翻译过程中提出很多有益的建议与修改意见,在此一并表示感谢。

蔡 曙 涛
于北京大学光华管理学院
2005 年 9 月